La collection « Contours littéraires »
est dirigée par Bruno Vercier,
maître de conférences à l'Université de la Sorbonne Nouvelle

Le récit filmique

André Gardies

HACHETTE

2

DU MÊME AUTEUR

– *Alain Robbe-Grillet*, Seghers, « Cinéma d'aujourd'hui », 1972.
– *Approche du récit filmique*, Albatros, 1980.
– *Le cinéma de Robbe-Grillet*, Albatros, 1983.
– *Cinéma d'Afrique noire francophone ; l'espace-miroir*, L'Harmattan, 1989.
– *L'espace au cinéma*, Méridiens Klincksieck, 1993.

En collaboration :

– *Regards sur le cinéma négro-africain* (avec Pierre Haffner), OCIC, Bruxelles, 1987.
– *200 mots clés de la théorie du cinéma* (avec Jean Bessalel), Cerf, « 7ᵉ Art », 1992.

Direction d'ouvrages collectifs :

– « Cinéma et littérature », *Cahiers du XXᵉ siècle*, n° 9, Klincksieck, 1978.
– *Cinémas de la modernité : films, théories* (avec D. Chateau, F. Jost), Klincksieck, 1981.
– « 25 ans de sémiologie », *Cinémaction*, n° 58, 1991.

REMERCIEMENTS

Que soient ici particulièrement remerciés Jacques Gerstenkorn pour sa confiance, Jean Bessalel pour ses suggestions et Isabelle Gardies-Serre pour sa relecture critique.

ISBN 2-01-018149-2
© Hachette Livre, Paris, 1993

En forme d'introduction : quelques mots sur l'adaptation

La littérature et le cinéma ont très vite et très tôt entretenu d'étroites relations. Et paradoxalement, comme le rappelle Jean Marcel (1992), la maturité n'a pas conduit le cinéma à se libérer du parrainage littéraire ; bien au contraire. Actuellement, toujours suivant le même auteur, 85 % de la production filmique puiseraient dans les œuvres littéraires une large part de son inspiration. Quelles raisons peuvent expliquer pareil état de fait ? La question n'est pas neuve et, à intervalles plus ou moins réguliers, elle fait retour dans le domaine de la critique. Il ne s'agira pas ici de la reprendre une fois de plus, mais de s'interroger plutôt sur la question non moins classique de l'adaptation des œuvres littéraires au cinéma.

Question classique ai-je dit, rebattue même, jusqu'à devenir un poncif académique, à laquelle cependant une étude consacrée au récit filmique ne saurait échapper. En effet, et c'est une évidence, le cinéma commercial partage avec le roman et la nouvelle, grands pourvoyeurs de scénarios, la fonction narrative. Il est même devenu le grand conteur du monde contemporain (encore qu'il soit en train de perdre cette primauté au profit des dramatiques et séries télévisuelles). Antérieure et riche de son passé, la littérature narrative a depuis longtemps constitué pour lui un inestimable réservoir d'histoires.

Objectivement donc, le récit, parce qu'il est commun, justifie la possible comparaison entre deux productions artistiques autonomes.

De quelques indésirables idées reçues

Toutefois durant des années, pour des raisons qu'il serait trop long d'exposer ici, les analyses comparées entre littérature et cinéma, entre film et roman, ont donné naissance à une constellation d'idées reçues ou, à tout le moins, de fausses questions. C'est l'un des mérites (on lui reproche tant de choses, à commencer par son jargon) de la théorie du cinéma que d'avoir débusqué ces impertinences.

Le plus souvent c'est dès le départ que la question est mal engagée, lorsqu'on se propose notamment d'analyser le possible jeu des équivalences entre les deux pratiques artistiques. Soyons clairs et même abrupts : il n'y a point d'équivalence entre roman et film, entre littérature et cinéma ; tout au plus des similitudes dont il faut, de surcroît, saisir aussi exactement que possible les lieux et modes de manifestation. Adapter un roman à l'écran ce n'est pas établir une équivalence entre l'écrit et le film.

Certes, dans le passage de l'un à l'autre quelque chose se retrouve : le récit, ou plus exactement, pour user d'une distinction que je préciserai au chapitre 2, la narrativité. Si je résume en une ou deux pages *Le salaire de la peur*, roman de Georges Arnaud, j'obtiendrai un « argument » narratif assez proche du synopsis du film de Clouzot. Codes actionnels, logique événementielle, personnages, temporalité, espace, données du monde fictionnel, seront fort semblables dans l'un et l'autre. Bien entendu l'analyse pourra toujours établir avec minutie le tableau des différences et des points communs, mais cela n'a d'intérêt que si je réinterprète ce tableau en fonction d'objectifs et de critères relevant d'une autre démarche (par exemple pour définir la « dramaturgie » propre au cinéaste). Tout au plus, mais ce n'est pas négligeable, la comparaison, située précisément au niveau du récit, c'est-à-dire de la partie commune, peut se révéler utile pour la compréhension des procédures narratives.

Il n'y a pas davantage d'équivalence, en dépit de la persistance de cette idée, entre le plan et le mot, la séquence et le paragraphe, le panoramique ou le travelling et tel passage descriptif. Certes un film se construit à partir de ces petites unités que sont les plans et qui, réunis, donnent une séquence, alors un regard rapide peut voir là quelque analogie avec les mots, phrases et paragraphes. La seule similitude c'est que, dans un cas comme dans l'autre, on élabore des unités de taille supérieure en assemblant des unités plus petites. En déduire une équivalence entre unités de même rang, c'est aller un peu vite en besogne. A ce compte, parce qu'un puzzle est composé de pièces plus petites je pourrais assimiler ces dernières à des plans ; parce qu'une pyramide d'oranges sur l'étal du primeur est composée de ces petites unités que sont chaque fruit, je pourrais en déduire que le plan a goût d'orange. Un plan n'est en aucune façon l'équivalent d'un mot ; il serait plutôt (comme cela a été clairement établi par la sémiologie) de l'ordre de la phrase. En revanche, tout comme le mot, il a la faculté de se combiner avec d'autres unités de même rang. Mais c'est là une propriété bien générale, en rien spécifique du mot et du plan.

De la même pensée procède cette remarque, souvent présente dans les manuels scolaires (et le cinéma est alors invité à servir de faire-valoir au texte littéraire), selon laquelle tel paragraphe descriptif, dans son agencement, serait l'équivalent d'un mouvement panoramique ou travelling. Conclusion hâtive là aussi. La similitude ne porte pas sur le paragraphe et le mouvement d'appareil dans leur intégralité, mais provient d'une procédure de mise en ordre reposant sur le même principe. Le paroramique, aussi bien que le travelling, donnent à voir successivement et de façon continue les objets qu'ils découvrent. Rien n'empêche une description littéraire d'adopter le même principe d'ordonnancement, elle n'en sera pas pour autant équivalente au mouvement d'appareil. Si la partie pour le tout est un bon principe rhétorique, il n'est pas certain qu'il ait la même valeur logique.

L'analyse comparée quand même

Pour autant l'analyse comparée d'un roman et de sa mise en scène cinématographique est-elle indésirable ? Non, bien sûr, à la condition de ne pas se perdre dans les fausses questions. Comparer le *Journal d'un curé de campagne* de Bernanos et le film du même titre de Robert Bresson (1951) en se demandant si ce dernier a été fidèle ou non au roman et pourquoi, n'a jamais conduit qu'à valider, sous des dehors rationnels, des préférences strictement subjectives.

Je crois beaucoup plus profitable de considérer le roman (ou la nouvelle), non comme une œuvre à caractère artistique, mais plutôt comme une sorte de banque de données. Le réalisateur puise dans le texte qu'il décide de porter à l'écran un ensemble d'instructions qu'il peut tout à loisir retenir, sélectionner ou augmenter de ses propres ajouts. En outre ces instructions concernent les domaines les plus divers. Les unes pourront se rapporter par exemple au climat dramatique : le réalisateur peut choisir de conserver ou non cette instruction. D'autres (et c'est le plus fréquent) visent les données diégétiques : lieux, époque, personnages, structure actionnelle ; d'autres encore la thématique ou le genre ; des consignes de traitement formel aussi pourront être retenues : distribution des temps forts et des pauses, rythme d'ensemble, points de vue, réglage du savoir, etc.

Les diverses formules du type : « porté à l'écran », « adapté de ... », « d'après l'œuvre de ... », « librement inspiré de ... », « sur un thème de ... », en traduisant différentes attitudes possibles à l'égard de l'œuvre originelle, disent la grande souplesse avec laquelle les réalisateur accueillent ces instructions.

Certes, en envisageant ainsi le texte littéraire, on lui dénie son caractère artistique propre (du moins on ne considère pas cette dimension comme pertinente) et l'on pourrait s'en offusquer, mais cela permet de mieux comprendre la singularité créatrice du cinéaste. En effet, comparer les instructions fournies par l'ouvrage avec celles effectivement réalisées dans le film peut se révéler fort instructif. Pour revenir sur *Le salaire de la peur*, voyons ce qu'il advient de deux instructions majeures proposées par le roman : les moments de risque lors du trajet, les personnages. Alors que le récit écrit propose trois épreuves importantes entrecoupées de multiples incidents et difficultés, le film, lui, structure le « voyage » à partir de cinq épreuves et élimine les éventuels incidents intermédiaires. Il retient donc l'idée de l'épreuve mais il la modifie dans le sens d'une plus grande dramatisation. D'un principe similaire participe le traitement des personnages. Georges Arnaud fait de Gérard (qui deviendra Mario, interprété par Yves Montand) un héros dur, courageux et opiniâtre, et cela du début à la fin. Quant à Johnny (Jo dans le film, interprété par Charles Vanel), il est donné comme faible et même lâche, et cela du début à la fin. Clouzot prend en compte l'instruction « personnages constrastés » mais il la traite différemment en ajoutant un renversement des caractères au sein du « couple ».

Faible et dominé par Jo au début, Mario devient, au contact des épreuves, le véritable héros, en situation de domination. Jo, naturellement, suit le trajet inverse : à mesure que les périls augmentent il perd son apparence de héros pour s'enfoncer dans la veulerie. Ce renversement est, de plus, consommé lors de la troisième épreuve. On voit alors apparaître le modèle implicite suivi par Clouzot : celui de la tragédie classique, avec ses cinq actes (les cinq épreuves) et le nœud de l'intrigue scellé au troisième. Comme l'indique cette très sommaire analyse, le film retient un certain nombre d'instructions d'origine romanesque tout en les transformant, et cela dans le sens d'une plus grande dramatisation. C'est la dimension spectaculaire qu'il vise ainsi à renforcer, dans le même temps qu'il donne une plus grande richesse aux personnages.

L'adaptation cinématographique ne consiste pas en ce que le film tente de trouver des équivalents langagiers, expressifs ou artistiques au texte littéraire (penser les choses ainsi suppose que l'œuvre écrite est alors un modèle, une sorte d'horizon de référence sinon une pierre d'achoppement quant à l'évaluation esthétique). La démarche est, en un sens, beaucoup plus pragmatique, sinon prosaïque : elle fait du texte un réservoir d'instructions dans lequel le cinéaste puise librement. À charge pour lui de traiter *cinématographiquement* ces instructions. La question n'est pas de savoir, par exemple, quels équivalents cinématographiques de la description inaugurale de Saumur, dans *Le père Goriot*, le film va mettre en œuvre, mais de savoir si l'instruction « description de la petite ville » sera retenue ou non, et comment, éventuellement, elle sera traitée narrativement à partir des données propres au langage cinématographique.

Assurément, dans cette démarche, la littérature ne trouve pas son compte puisque sa dimension artistique est ignorée. Pourtant il n'est pas impossible de réintroduire la question esthétique, à la condition de procéder à une comparaison non plus sur la base des équivalences, mais en procédant par différence et contraste.

Si le roman (ou la nouvelle) et son adaptation filmique ont en commun la narrativité, ils restent irréductibles quant à leur écriture. Dans cette perspective, le texte littéraire peut tirer profit de son rapport comparatif avec le film (et réciproquement). L'adaptation de *Madame Bovary* par Claude Chabrol (1992), par exemple, met en évidence ce qui fait du texte de Flaubert une œuvre essentielle : sa littérarité, son écriture, que précisément le film ne peut ni adapter, ni transposer. Que Volker Schlöndorff puise une intrigue, des personnages, une époque, un schéma actionnel, etc., dans *Un amour de Swann* lorsqu'il le porte à l'écran (1984), il ne l'épuise pas pour autant. L'écriture proustienne reste irréductible. Par comparaison avec le film, elle peut même mieux faire entendre la singularité de sa voix.

En effet, la narrativité et les composantes de l'histoire ne fondant plus son originalité (puisqu'elles peuvent se retrouver à l'écran), le roman s'affirme par ce qui le fonde véritablement : sa littérarité. J'entends alors cette réalité d'évidence : la petite musique de Vinteuil n'est pas composée de notes, elle est dans les mots qui composent sa description.

Et la réciproque est vraie. La fidélité de Robert Bresson envers Georges Bernanos ne vient pas de ce qu'il aurait donné du *Journal d'un curé de campagne* un équivalent cinématographique. Elle tient au fait qu'il a su faire entendre au sein du septième art, tout comme l'a fait Bernanos au sein de la littérature, une voix filmique singulière et qui, longtemps après la projection, résonne encore à nos oreilles.

L'épreuve de la différence et du contraste devient la véritable pierre d'achoppement ; et l'écoute comparée, en aiguisant notre perception, se révèle redoutable : bien des livres et bien des films n'y résistent pas.

Le récit filmique en sa singularité

Cette fréquentation assidue de la littérature, en ce qu'elle lui fournit « sujets » et « histoires », souligne la caractéristique dominante du récit filmique, à savoir (La Palice n'est pas loin) qu'il a pour fonction de raconter. Dans le même temps il se différencie des autres grands pourvoyeurs de récits que sont le conte, le mythe, l'épopée, le roman, la nouvelle, la bande dessinée, le roman-photo, le théâtre et même la dramatique ou la série télévisuelle, en ce qu'il est filmique. De là, probablement, provient l'hésitation que l'on peut avoir dans la conduite de son analyse : « récit » et « filmique » doivent-ils être traités également ou convient-il de privilégier l'un des deux ?

L'option retenue sera claire : centré d'abord sur le « récit » (sur la « narrativité »), le regard se concentrera ensuite progressivement sur le « filmique » jusqu'à le porter au premier plan et en dégager les traits propres. C'est donc à souligner la spécificité de la narration filmique que ce livre s'attachera.

En ce sens le cheminement de l'ouvrage s'en trouve indiqué. Il ira dans le sens croissant de la spécificité cinématographique, en passant par trois étapes principales. Avec la première c'est au monde diégétique (cet univers imaginaire que je construis sur la base des suggestions du texte) que l'on s'intéressera, notamment pour en dégager les conditions d'existence et les principes de fonctionnement. La seconde étape développera plus en détail les composantes de ce monde diégétique, particulièrement les personnages, le temps et l'espace. Quant à la troisième, elle visera à mettre en évidence les stratégies d'énonciation que le récit filmique déploie pour s'adresser à moi et régler ma participation cognitive et affective.

Sous le récit, c'est donc le filmique que l'on souhaiterait faire entendre.

1

Les conditions cinématographiques du récit filmique

Alors que s'estompent les derniers cartons du générique de *La nuit de San Lorenzo* (des frères Taviani, 1981), monte une voix *off*, féminine, douce et feutrée, qui dit : « Cette nuit, à la nuit de la San Lorenzo, mon amour, la nuit des étoiles filantes, chez nous, ici en Toscane, on dit qu'à chaque étoile filante un vœu est exaucé... Attends, ne dors pas... Tu sais quel est mon vœu, cette nuit ? Arriver à trouver les mots pour te raconter une autre nuit de la San Lorenzo ; il y a bien longtemps... ».

Durant tout ce temps le plan est d'abord resté fixe avec un effet de nuit bleutée sur l'intérieur d'une chambre, ouverte par une grande baie vitrée sur le ciel étoilé qui peu à peu occupe seul le cadre, à la suite d'un lent travelling avant. Scintillante et un peu irréelle, une étoile, comme tombée du ciel, traverse le cadre en diagonale.

Le vœu est exaucé. Le récit de cette autre nuit de la San Lorenzo va pouvoir commencer. Par un raccord sec, à effet de contraste, une grande lumière d'été baigne la campagne toscane. Sous le souffle d'une bourrasque, un citron se détache de l'arbre situé au premier plan, puis roule à terre. Au milieu du verger apparaît un jeune homme ; peu après un groupe d'hommes et de femmes en tenue de fête entre dans le cadre, s'avance vers lui, l'interpelle et anime maintenant la campagne lumineuse. Le récit a commencé, mais ce n'est plus la voix *off* qui parle. Ce sont des images et des sons qui me font voir et entendre les menus événements d'un monde qui prend forme.

Je suis au cinéma : je vois, j'entends et « ça » me raconte.

Montrer, raconter

En son début, *La nuit de San Lorenzo* est exemplaire du récit filmique. Et cela pour deux raisons essentielles au moins.

D'abord parce qu'il explicite le projet qui est au fondement de tout récit. La voix *off* voulait trouver les mots pour « raconter une autre nuit de la San Lorenzo ». L'objectif est clair : faire revivre, pour celui ou celle qui en fut absent, les événements qui marquèrent une lointaine nuit de la San Lorenzo. Raconter, n'est-ce pas fondamentalement s'adresser à quelqu'un pour lui rapporter des événements dont il était absent ?

Ensuite et surtout parce qu'il souligne le caractère proprement filmique de la narration. Au verbe de la voix *off*, pour le prologue, succèdent les images et les sons pour le récit proprement dit. Ce passage d'un mode de narration fondé sur le verbal à un mode de narration filmique est en outre délibérément mis en valeur par le jeu des contrastes : à l'effet de nuit du prologue succède une lumière d'été éclatante, à l'intimité de la chambre la campagne toscane en plan large, au ciel étoilé la terre où s'enracinent les arbres, à la musique le bruitage. Ainsi le début du récit véritable coïncide avec l'effacement de la voix et le surgissement des sons et des images, constitutifs du langage cinématographique.

Le propre du récit filmique consisterait donc en ce qu'il déploie son activité narrative en faisant usage du langage audiovisuel. Rien de particulièrement original dans cette assertion. Selon une opinion répandue, le récit filmique ne serait même guère plus que du récit verbal (écrit ou oral) mis en images et sons. Force est de reconnaître que la longue tradition de l'adaptation ainsi que le recours fréquent au scénario écrit comme préalable au tournage, donnent quelque force à cette idée. Toutefois les choses ne sont pas aussi simples.

Le propre du cinéma, ce qui le distingue d'autres médiums ou d'autres arts, c'est de donner à voir, grâce à l'image mouvante. C'est elle, comme la sémiologie l'a établi depuis longtemps, qui est constitutive du cinéma ; les autres matières de l'expression (la musique, le bruitage, le verbal ou encore les mentions écrites) sont facultatives. La fonction principale du cinéma réside donc dans la nécessité qu'il a de montrer, de donner à voir, et au besoin de donner à entendre. En ce sens il montre d'abord, il raconte éventuellement ensuite. C'est le récit qui est subordonné à l'image et non l'inverse. La preuve ? L'existence d'un cinéma qui n'a pas pour vocation principale de raconter, mais d'informer (le documentaire), de rendre compte (le reportage), de témoigner (l'interview) ou encore d'inventer des formes et structures audiovisuelles (le cinéma expérimental).

Le récit filmique ce n'est donc pas du récit mis en images et sons, mais des images et des sons agencés de façon à produire du récit. Il s'agit alors d'analyser en quoi le langage et l'expression cinématographiques sont susceptibles de produire de la narration et non d'envisager le film comme un ensemble de réponses audiovisuelles à des questions narratives.

Cela étant précisé, il n'empêche qu'il y a dans le récit filmique du « récit » et du « filmique » et que cela suppose chez le spectateur la mobilisation d'une double compétence : une compétence narrative, une compétence langagière. La première me permet de comprendre, par exemple, pourquoi tel ou tel personnage s'engage dans des aventures périlleuses et comment celles-ci le conduiront au succès ou à l'échec. La seconde, pour prendre là aussi un exemple élementaire, me permet d'interpréter l'alternance de deux séries d'actions comme une seule action globale (poursuivants puis poursuivis réunis dans la poursuite).

Tout film narratif comporte cette double dimension. Elle sera au cœur de notre étude, placée sous le signe de la narratologie, dont l'objet appelle quelques précisions.

En effet c'est à Gérard Genette (1972) que l'on doit, sinon le terme, du moins les bases constitutives et systématiques de cette « science » du récit (pour un historique simple et concis, se reporter à l'ouvrage de Gaudreault et Jost, 1990). Or la conception qu'il développe apparaît comme particulièrement restrictive puisqu'elle ne prend en compte que le récit écrit au seul plan de son énonciation. Sont donc exclus de cette narratologie restreinte : ce qui relève de l'histoire, c'est-à-dire des événements racontés et de leur organisation (notamment les analyses s'inscrivant dans la lignée des travaux de Vladimir Propp, 1973), tous les récits dont le support n'est pas strictement linguistique, parmi lesquels, naturellement, le film narratif !

J'opterai donc pour une narratologie « élargie », qui se donne pour objet la compréhension de ce qui est en jeu dans l'acte de raconter, en relation avec le médium dans lequel s'inscrit la narration. Précisément, parce que celui-ci exerce une très forte prégnance sur l'art de raconter, il importe de préciser ses caractéristiques essentielles.

Cependant, au moment de le faire, je me rends compte qu'il y a une troisième raison encore pour laquelle le début de *La nuit de San Lorenzo* est exemplaire. Il dit, mais de façon implicite cette fois-ci, une autre qualité du récit, peut-être plus essentielle que les deux autres, plus secrète aussi, plus subjective et, par là, plus difficile à poser en objet théorique.

Manifestement la voix *off* s'adresse à un être cher (« mon amour », « Attends, ne dors pas... »), sur l'identité de qui toutes les hypothèses restent possibles. Un discret effet de mystère et d'énigme s'installe, qui ne sera résolu qu'avec les toutes dernières images du film : plusieurs années ayant passé, la jeune héroïne de cette autre nuit de la San Lorenzo, devenue mère, s'adresse à son enfant qui vient de naître. C'est à lui, au niveau premier, qu'était destinée l'histoire que, spectateur, je viens de suivre. Cette situation de communication entre une mère et son enfant, mise en évidence par sa fonction d'encadrement au sein du récit (au début et à la fin du film), prend une valeur emblématique. Ne dit-elle pas ce qu'est le récit dans son essence même ? Non pas simplement cette « mise en intrigue » dont parle Paul Ricœur (1991), mais d'abord une voix – ce que dit de façon différente mais tout aussi démonstrative cet autre récit symbolique que sont les *Mille et Une Nuits*. De surcroît, pas n'importe quelle voix, mais celle de la mère. Pour l'enfant qui, au moment du sommeil, réclame une histoire, peu lui importe le contenu de celle-ci. Sa demande est ailleurs, dans le désir de la voix maternelle : il faut et il suffit qu'elle vibre et se déroule au fil du timbre et de l'élocution, sans fin. Il y a toujours dans l'écoute, la lecture, la réception du récit, l'écho de ce désir.

Ainsi, raconter c'est faire entendre une voix. La voix physique propre à l'oralité bien sûr, mais aussi celle, plus métaphorique et non moins réelle, qui bruisse sous l'agencement des mots et des phrases, sous l'agencement aussi des images et des sons. Voix que j'appelle et qui, semblable à celle des Sirènes, m'appelle, me fascine et proprement me capture. Pourtant voix si ténue et si légère qu'elle échappe à l'emprise théorique. Elle ne saurait, ici, faire l'objet d'un exposé méthodique, néanmoins elle sera présente, mais comme une sorte d'horizon lointain, qui s'éloigne à mesure que l'on avance, et qui pourtant désigne la direction à suivre.

Peut-être, alors, se fera entendre, en filigrane, la voix du récit filmique, dans ce qui la distingue des autres récits produits par d'autres médiums.

Le dispositif cinématographique

La plupart des manuels d'histoire du cinéma s'accordent à rappeler que, pour ses inventeurs, le « cinématographe » n'avait guère d'avenir, sinon comme auxiliaire de l'observation scientifique. On sait ce qu'il en est advenu. Ce moyen d'enregistrement de la réalité s'est très rapidement imposé comme une formidable machine à raconter des histoires. Des raisons socio-économiques, mais aussi culturelles, sont évidemment à l'origine de ce phénomène. Cependant le cinématographe lui-même, dans sa réalité technologique et spécifique, n'y est peut-être pas étranger. Ne porte-t-il pas en lui quelque chose qui le prédispose à l'activité narrative, tout en lui imprimant sa marque propre ?

Si la lecture d'un roman relève d'un geste fondamentalement individuel, s'accommodant des circonstances matérielles les plus diverses (prendre un livre et s'installer ne nécessite aucune condition particulière), la « lecture » d'un film cinématographique (par l'emploi quasi tautologique de cet adjectif, nous excluons le visionnement télévisuel) impose ses contraintes qui, dans le même temps, en favorisent la réception.

❏ *Les contraintes physiques et économiques* dont chacun a connaissance viennent tout d'abord à l'esprit : sortir de chez soi, se rendre en tel lieu, acquitter le prix d'entrée, s'installer à une place précise. Rien de véritablement spécifique jusqu'ici : ce sont les préalables nécessaires à tout spectacle. Cependant la disposition de la salle, les composantes techniques de la projection (cabine, faisceau lumineux, écran) et le rituel qui précède l'émergence des premières images, autant de données propres au cinéma, créent les conditions particulières de la réception filmique. De nombreuses études ont analysé le rôle que joue le « dispositif cinématographique » dans le conditionnement sensori-moteur du spectateur (en particulier Baudry, 1975 ; Metz, 1977 ; Gardies, 1993) ; elles laissent apparaître, sans qu'il soit pour autant nécessaire de les reprendre dans leur intégralité, une sorte de relation privilégiée entre ce dispositif et, non pas seulement le film en général, mais le film de fiction en particulier. Comme si ce dispositif avait pour fonction de prédisposer le spectateur à regarder-écouter des histoires.

Sa première caractéristique, soulignée par tous les auteurs, tient à l'état singulier dans lequel il plonge le spectateur. État proche de l'hypnose ou du rêve selon les points de vue, mais dans tous les cas marqué par l'abaissement important du seuil d'activité motrice et conjointement l'élévation de l'intensité perceptive. La position assise et le confort du siège, l'ordre rassurant des fauteuils dans la salle, l'obscurité relative qui s'installe sans brutalité et la luminescence que renvoie l'écran invitent au relâchement du Surmoi, à quelque chose qui s'apparente, selon une classique remarque d'ordre psychanalytique, à une régression infantile. Protégé des agressions extérieures, inscrit dans l'ordre familier de la salle, enfoui dans le fauteuil, rendu à moi-même par l'obscurité, j'attends la voix maternelle qui bientôt va me parler. J'attends à nouveau qu'elle raconte sans fin.

De plus, sitôt apparus les premiers sons et images, tout concourt à induire ce régime de crédulité singulier, que Christian Metz (1977) résume par cette formule : « je sais bien, mais quand même ». Je sais bien que ce n'est que du cinéma, mais quand même, je n'en suis pas tout à fait sûr. Il y a en effet quelque chose de bien réel durant la projection : le déplacement de ces objets filmés, là, sur l'écran, produit un mouvement visible, inscrit sur l'espace bi-dimensionnel. Dans le même temps je m'approprie imaginairement l'espace. Cette femme que je vois à droite, faisant face à l'homme qui est à gauche sont, l'un à ma droite, l'autre à ma gauche, et tous deux sont de profil par rapport à moi. En s'organisant par rapport à ma perception, l'espace devient l'espace pour moi.

Ainsi, la réception-perception des images et des sons s'inscrit dans une expérience phénoménologique de l'« ici-maintenant ». Et celle-ci s'ajoute, pour la renforcer, à l'impression de réalité que produit la ressemblance photographique (et sonore). Dès lors, ce qui va m'être raconté, bénéficiera d'une prime de vérité. La fiction n'est jamais totalement fictive puisque, quelle que soit ma part de rationalité et de lucidité, toujours un « quand même » me souffle autre chose à l'oreille. Alors, entretenu par cette hésitation, par cette ambivalence fort proche du compromis psychanalytique, mon imaginaire a libre cours.

❐ *L'écran,* comme l'ont souligné de nombreux auteurs, active le processus de l'imaginaire. En raison de sa taille et de sa position d'abord. Il me fait face, ou plus précisément je suis face à lui et c'est de lui que me parviennent, par réflexion optique, les images. Parce que l'appareil de projection se trouve dans mon dos, dissimulé dans la cabine, hors de ma vue donc, il est pour moi la source du flux visuel. L'autorité de la voix narratrice émane de lui. Comme pour redoubler cet effet, il me domine : il est au-dessus de moi ; pour le regarder je dois lever la tête. Et je le vois, là, immense, démesuré (c'est ce principe que cinérama, cinémascope et autres procédés de gigantisme exploitent), si vaste qu'en un sens je me fonds en lui. Les objets qu'il me donne à voir sont hors de la mesure quotidienne. Certes le phénomène nous est devenu culturellement familier, mais il suffit de se reporter à la relation que les historiens et les ethnologues ont faite des premières projections publiques pour se rendre compte de la dimension proprement effrayante et hallucinatoire de l'image cinématographique. En dépit d'ailleurs de l'érosion que produit l'habitude, quelque chose de cela demeure dans le gros plan. Il n'a pas le même statut que les autres cadrages. Toutes les études s'accordent là-dessus, même si elles n'en donnent pas toutes la même explication. C'est bien ce caractère proprement fantastique (perte du réel et, conjointement, surcroît de réalité) qu'a su exploiter quelqu'un comme Sergio Leone et qui a fait le succès de *Il était une fois dans l'Ouest* (1969) notamment. Qui ne se souvient des très gros plans du chapeau lentement relevé ou de la mouche brusquement prisonnière du canon de revolver ?

C'est aussi en raison de la qualité singulière de la lumière qui émane de lui que l'écran active mon imaginaire. Réfléchie (à la différence de celle du poste de télévision), en même temps diffuse à travers l'obscurité de la salle, elle a quelque chose de blafard (y compris avec le cinéma en couleurs) qui fascine d'autant plus fortement que la brillance sur l'écran est intense. Elle est cette lumière qui me capte et dilate ma perception visuelle. Le spectacle qui s'inscrit sur la surface de la toile a toujours à la fois quelque chose de fantomatique et d'hyper réel. Par cela se trouve favorisée mon activité d'identification.

❐ *Les stars.* La manifestation la plus importante de cet appel à l'imaginaire, c'est bien le principe d'identification, sans lequel probablement le firmament des stars n'aurait jamais brillé. Edgar Morin, dans *Le cinéma ou l'homme imaginaire* (1956) et *Les Stars* (1972), a analysé ce phénomène psycho-sociologique, propre au XXe siècle, par lequel le cinéma a su créer et entretenir un imaginaire collectif fait de rêves et de bonheur illusoire. Rudolph Valentino, Marlène Dietrich, James Dean, Marylin Monroe et bien d'autres encore n'auraient probablement jamais acquis la dimension mythique qui fut la leur sans le pouvoir propre au dispositif cinématographique, véritable machine à faire du spectateur un sujet en état de surperception et d'hypertension imaginative.

Les conditions sont ainsi réunies, qui prédisposent le médium cinématographique à produire du récit, à entretenir un rapport privilégié avec le film de fiction plutôt qu'avec les autres formes filmiques. L'effet de ressemblance photographique (sur laquelle on reviendra d'ici peu), la forme de régression symbolique au stade de l'enfance, le régime flottant de crédulité, l'activation de l'imaginaire, tout ici concourt à donner à la fiction narrative sa force de conviction. Ce qui est dit, ce qui est raconté, l'est avec une présence singulière. Chacun a fait l'expérience de cette forme de léger traumatisme que représente, à la fin de la projection, le retour à l'épreuve de réalité. Roland Barthes (1975) a fort bien décrit la difficulté qu'il avait à faire retour au monde, soulignant ainsi, comme à revers, le poids d'expérience sensori-motrice et affective dont le dispositif cinématographique leste toute séance de projection-réception.

En ce sens, le récit au cinéma, et particulièrement le récit de fiction (par opposition au récit historique, par exemple), n'est jamais totalement simple affabulation : des événements ont réellement lieu au cours de la projection (il y a du mouvement sur l'écran, il y a des surgissements sonores, il y a des variations d'intensité ; il y a, en fait, l'expérience sensori-perceptive de la séance). Certes ces événements ne sont pas ceux que raconte le film, mais leur réalité, jusqu'à un certain seuil, influence le caractère fictif de la fable en cours, lui donnant ainsi une plus grande part de vérité. Dans cette perspective, le propre du récit filmique, c'est qu'il me parle au plus près et se montre donc plus persuasif que les fables empruntant d'autres médiums.

Les matières de l'expression

L'autre particularité qu'implique le cinématographe réside, bien entendu, dans son matériau langagier (les « matières de l'expression », suivant l'appellation sémiologique). Il est pluriel et hétérogène. S'adressant à l'œil, des informations me parviennent par le truchement de l'image mouvante et des mentions écrites ; l'oreille, elle, se trouve sollicitée par des informations de nature verbale, par le bruitage et le musical (voir Metz, 1971). Dans cinq matières différentes s'inscrivent donc les signes filmiques. Toutes cependant, comme l'a établi la sémiologie depuis longtemps, n'ont pas la même valeur. L'une seulement est définitoire du cinéma : l'image mouvante. En effet, un film sans images (l'écran noir est une image, particulière certes, mais une image quand même) mais avec du verbal, des bruits et de la musique, c'est en réalité une émission radiophonique. Une succession d'images fixes projetées (on ne confondra pas avec l'image arrêtée, qui relève de l'image mouvante : pour l'arrêter, encore faut-il qu'elle soit mouvante !) constitue au mieux un diaporama. La présence de cette dernière est donc obligatoire, alors que le recours aux autres matières est facultatif.

Toutefois une précision s'impose : si l'image mouvante est sémiologiquement première, cela ne signifie pas nécessairement qu'elle soit toujours prioritaire, et notamment en termes de stratégies narratives. En effet, tout récit filmique peut choisir de donner au verbal, par exemple, la fonction principale en lui subordonnant l'image. On distinguera donc soigneusement ce qui est prioritaire au plan sémiologique, de ce qui l'est au niveau narratif.

❒ *Les trois choix.* Cette pluralité fait qu'un énoncé filmique, pour être produit, suppose trois décisions et non plus deux comme pour l'énoncé verbal. Une première décision porte sur le choix des données à retenir (choix de telle image, de tel cadrage, de tel type de son, de telle intensité, etc.). C'est le choix portant sur l'axe paradigmatique comme disent les linguistes. La seconde décision porte sur l'ordre dans lequel seront disposés les éléments ainsi retenus : quel est celui qui vient d'abord ; quel est celui qui suit (choix sur l'axe syntagmatique) ? On sait que ces deux décisions sont nécessaires pour la production de l'énoncé verbal. La formulation d'une phrase suppose qu'aient été arrêtés les termes qui la composent et définis leur agencement. Avec l'énoncé filmique il faudra introduire un troisième choix : quels sont les éléments qui seront perçus en simultanéité ? Quel son sur quelle image ? C'est ici la pluralité des matières de l'expression qui oblige à ce choix d'ordre encore syntagmatique, mais visant cette fois la simultanéité et non plus seulement la succession.

Certes cette triple opération de décision concerne tout énoncé filmique indépendamment de sa nature fictionnelle ou narrative (le documentaire ou le reportage doit procéder aux mêmes choix). Néanmoins elle va permettre des stratégies narratives qui seront liées spécifiquement au cinéma. C'est une démarche parfaitement classique que de faire entendre, à l'aide d'une voix *off*, le récit d'événements dont on suit la visualisation au même moment (avec au besoin tout un jeu d'écarts possibles ou de redondance entre ce qui est vu et ce qui est entendu).

Plurielles, ces diverses matières sont en même temps de nature hétérogène en ce qu'elles permettent de « fabriquer » des signes différents. Ils se distribuent en trois grandes classes : signes iconiques, linguistiques et musicaux. Chacun des trois, en raison de ses particularités propres, a une fonctionnalité sémiologique et narrative singulière. Schématiquement, on peut dire que le film ne raconte pas de la même manière selon qu'il recourt à l'un ou à l'autre.

❒ *Le signe iconique.* Le signe iconique (Peirce, 1978) se caractérise par les traits de ressemblance qu'il entretient avec l'objet qu'il désigne :

l'image d'un chat ressemble plus à un chat que le mot « chat ». Sous l'emblème de l'iconicité on peut donc regrouper l'image mouvante et le bruitage. En effet, en dépit de ce que pourrait laisser imaginer un regard rapide, l'iconicité n'est pas seulement visuelle : le bruit enregistré d'un canon ressemble au bruit réel du canon. Il y a donc aussi une iconicité pour l'oreille.

On ajoutera que, conformément encore à la classification de Peirce, ces deux matières possèdent un indéniable caractère indiciel : l'image filmophotographique (à la différence de l'image de synthèse ou graphique) ainsi que le son enregistré du bruitage (à l'exception, assez courante au demeurant dans le cinéma narratif standardisé, des trucages) sont la trace visuelle et auditive (tout comme l'empreinte d'un pas est la trace, ou l'indice, d'un passage) d'événements ayant eu réellement lieu, ne serait-ce qu'en studio. Cette valeur indicielle ajoute encore à l'impression de réalité que procure l'iconicité.

Cette double caractéristique (iconicité et « indicialité ») fait que l'image mouvante et le bruitage assurent une fonction première : celle qui consiste à montrer, visuellement ou auditivement. L'un et l'autre montrent les événements. La question centrale, du point de vue narratologique, est alors la suivante : est-il possible, et à quelles conditions ou à quel niveau, de passer du « montrer » au « raconter », de la « monstration » à la « narration » ?

Question fort ancienne, déjà longuement débattue, à propos du théâtre et de l'épopée, par Platon qui distinguait les arts fondés sur la *mimésis* de ceux qui reposent sur la *diégésis*. André Gaudreault (1988) a très précisément analysé cette question et propose de corréler le couple platonicien avec le couple « monstration/narration ». Le passage d'un niveau à l'autre s'effectue, selon lui, dans la mise en chaîne filmique (au niveau donc du montage, pour l'essentiel).

Toutefois l'acte de monstration (qui consiste à donner à voir et à entendre des événements, qu'ils soient perçus comme fictifs ou réels) est d'abord à considérer comme un acte langagier, comme un acte sémiologique ; le cinéma montre d'abord, il use ensuite (et éventuellement) de la monstration pour raconter. Bien entendu le lecteur aura compris que « d'abord » et « ensuite » n'ont aucune valeur temporelle mais logique car, tout en montrant, la monstration peut « raconter », bien que rien ne l'y oblige. Cela signifie que la fonction narrative de la monstration n'est pas de nature, mais résulte d'un ensemble de décisions. Décisions qui relèvent, bien sûr, du réalisateur mais qui supposent aussi une compétence interprétative du spectateur. C'est probablement là, dans ce double jeu croisé du réalisateur et du spectateur, que se développe la performance narrative du cinéma, objet central des interrogations de ce livre.

La monstration n'est donc pas à considérer comme un moment distinct de la narration, fût-il premier et nécessaire, mais comme ce moment langagier où, moyennant diverses conditions, le « montrer » peut « raconter ». La question à résoudre pourrait être alors la suivante : à quelles conditions un plan qui, par définition, montre, peut-il dans le même temps raconter ? Ces conditions sont-elles internes ou externes au plan, ou les deux à la fois ? Qu'est-ce qui me permet, par exemple, et de façon quelque peu cavalière, de recevoir tel ou tel plan (à l'exception du dernier) de *La Jetée* de Chris Marker (1963) comme du « récit » et pas seulement du « montré », alors que tout dans l'image est immobilisé, suspendu, arrêté, avec une volonté évidente de monstration – on sait que ce film est composé d'une succession de plans donnés comme autant de photos, à l'exception du dernier –, sinon la présence d'une voix *off* récitante ? Certes le processus filmique est plus complexe (cf. Odin, 1981), mais cette relation entre la voix *off* et l'image d'où naît la narrativité laisse apparaître un principe fondamental à l'œuvre dans tout film, celui de la solidarité des éléments qui le composent. C'est lui, notamment, qui permet de faire de la monstration un acte de narration. On le rencontrera, en filigrane ou de manière explicite, tout au long de l'étude.

❑ *Le signe linguistique.* Devenu parlant depuis la fin des années 20, le cinéma s'est alors adjoint la dimension orale d'un matériau qu'il connaissait déjà sous sa forme écrite (grâce aux cartons d'intertitres et aux génériques notamment) : le verbo-linguistique. Depuis, celui-ci se manifeste par le canal sonore – tous les usages linguistiques oraux sont mis à contribution : dialogues, voix commentatrice, monologue « intérieur », etc. – et par le canal visuel – toutes les « mentions écrites », qu'elles soient externes à l'univers fictionnel : sous-titres, générique, cartons divers, etc., ou internes : enseignes, panneaux indicateurs, correspondance donnée à lire en gros plan, etc.

Les signes linguistiques (ou « symboles » dans la classification de Peirce), à la différence de l'icône, entretiennent avec les objets qu'ils désignent un rapport généralement arbitraire. Aucune caractéristique particulière de l'animal veau (ou vache, cochon, poulet, etc.) ne justifie le recours au mot « veau » pour le désigner. C'est là aussi une question fort ancienne, celle que l'on désigne, depuis Platon, sous le nom de cratylisme. Plus récemment Gérard Genette, dans *Mimologiques* (1978), a réactualisé cette interrogation. C'est que le verbal n'a pas pour tâche de représenter le monde, mais de le dire et, au besoin, de le signifier. Dans le domaine cinématographique, cette répartition des fonctions a longtemps trouvé sa forme (parfois jusqu'à la caricature) dans ce que Zazie (celle du métro, de Queneau) appelait joyeusement le « docucu » : à l'image le soin de représenter et figurer le monde, au verbe (par le truchement de la voix *off* commentatrice) la tâche noble de dire ce qu'il est et d'en donner au besoin le sens. Avec le film narratif leurs rapports sont généralement plus riches. Outre que l'un et l'autre peuvent dire au même instant (principe de leur co-présence sur deux canaux séparés) deux choses différentes, complémentaires, redondantes ou franchement opposées, leur valeur fonctionnelle (dire et montrer) est étroitement dépendante de leur appartenance non plus au monde réel, mais au monde diégétique propre à la fiction. En ce sens le verbal est toujours en situation. De subordination à l'image (c'est le cas le plus souvent des dialogues *in* : converser est un événement du monde construit par l'image) ou, au contraire, de suzeraineté (lorsque l'image vient comme illustrer ce que raconte une voix *off*, par exemple), pour ne faire référence qu'à des procédures simples, sinon simplistes. Car la fonctionnalité du verbal est infiniment plus riche (Gardies, 1989), comme nous le verrons plus tard.

Dans l'immédiat, on mettra en évidence les trois actes essentiels que peut prendre en charge le matériau linguistique au sein du film narratif : dire, raconter, montrer. La parole (écrite ou orale) peut être utilisée à des fins d'information. Par telle enseigne que je lis à l'image, je sais que le héros pénètre dans une charcuterie, ou se rend chez son médecin par exemple. Tel personnage s'adresse à tel autre pour lui annoncer son prochain divorce. Tel carton m'indique une date ou un lieu nécessaire à la compréhension de l'intrigue. Bien entendu, ces informations peuvent avoir une valeur narrative à un autre niveau : il n'est pas indifférent peut-être que le héros pénètre chez le charcutier plutôt que de se rendre chez le médecin. Mais au niveau premier, le verbal assume une fonction de vecteur d'informations.

Situation différente de celle où la parole se fait récit. Elle prend en charge alors, avec les moyens qui lui sont propres, la relation des événements soit de façon partielle – elle n'intervient comme telle qu'à certains moments du film – ; soit en position première – l'image sert d'illustration – ; soit en position de subordination – principe du récit dans le récit –, soit encore en parallèle, le film proposant simultanément (l'un visuel, l'autre verbal) deux récits plus ou moins différents. C'est alors la question du narrateur qui est ainsi posée. En raison de sa richesse, elle fera retour dans les derniers chapitres, mais dès à présent on peut noter que, quelle que soit la position du récit verbal par rapport à l'image, ce récit est toujours partie constitutive du récit total qu'est le film lui-même. Le narrateur du récit verbal n'est qu'un sous-narrateur de l'instance première qui, elle, assure l'ensemble de la relation filmique.

Moins évident apparaît le troisième acte langagier du verbal, celui par lequel il montre. Sans faire allusion par là à la capacité qu'il aurait de décrire le monde diégétique (si décrire c'est montrer, ce ne peut être que de façon métaphorique), c'est à la part d'iconicité dont il est porteur que nous nous intéresserons. Ainsi dans *Napoléon* d'Abel Gance (film muet de 1927), le graphisme des intertitres, par ses variations de taille, ses dispositions dans le cadre, la grosseur croissante de ses lettres, etc., va littéralement visualiser la force d'émotion des paroles transcrites. Ce travail sur la calligraphie et la composition (au sens de l'imprimerie) est apparu très tôt dans l'histoire du cinéma et joue encore un rôle important aujourd'hui, en particulier dans les génériques.

Sur l'axe sonore, avec l'oralité donc, cette part d'iconicité paraît plus délicate à établir. Néanmoins, au prix d'un léger détour métaphorique, elle est repérable. Le verbal, au sein de la narration filmique, est toujours ancré sur une situation d'échange particulière et contingente. Telle phrase, quel que soit son contenu sémantique, est prononcée par un personnage, d'une certaine manière (accent, élocution, intensité, timbre, etc.) et dans une situation donnée (il s'adresse à un ami ou un ennemi, il est en danger ou au contraire bien à l'abri, etc.). Ce sont ces traits liés à la contingence de l'énonciation (pour une large part, ce que les linguistes nomment les traits supra-segmentaux de l'énoncé) qui peuvent participer de la monstration. L'accent de César et celui de Monsieur Brun, chez Pagnol, ne figurent-ils pas, à leur manière, l'un Marseille, l'autre Lyon ? Ils appartiennent au paysage sonore du monde diégétique propre à la trilogie pagnolesque.

C'est précisément cette part d'iconicité qui fait la différence entre le verbal que le spectateur voit et entend dans le film, et le même qu'il lit dans un scénario où il n'a aucune « chair ». C'est là l'une des dimensions propres au récit dans son actualisation filmique.

❒ *Le signe musical.* Le troisième type de signe offre quelque singularité. En effet, alors que l'iconique et le verbal empruntent le canal visuel et le canal sonore, le musical n'a d'existence que pour l'oreille. Certes, il est toujours possible de donner à voir une partition, mais l'on sait que ce système de notation, d'une part, n'est qu'une « écriture » fortement conventionnelle et que, d'autre part, elle n'est en usage que pour certaines musiques ; elle ne saurait donc être considérée comme la face écrite, et donc visuelle, du musical.

Pour autant ce dernier n'en joue pas moins un rôle essentiel dans le film narratif. En témoigne d'abord le fait qu'à l'époque du muet, les projections publiques étaient le plus souvent accompagnées d'une musique jouée à partir de la salle, que certains réalisateurs comme Eisenstein, Abel Gance et d'autres, toujours à la même époque, avaient fait composer une musique pour quelques-uns de leurs films. En témoigne ensuite l'exploitation commerciale des bandes musicales et le succès de certains airs promus par tel ou tel film (*Le pont de la rivière Kwaï,* David Lean, 1957 ; *Le train sifflera trois fois,* Fred Zinneman, 1952 ; *L'ange bleu,* Joseph Von Sternberg, 1929-1930 ; *Moulin Rouge,* John Huston, 1953, etc.). A l'évidence, la musique est en prise directe sur l'investissement émotionnel et affectif du spectateur, et c'est là la raison principale de son importance ; elle n'en est pas moins l'une des composantes de la stratégie narrative.

Son rôle est néanmoins différent selon qu'elle est intégrée ou non au monde de l'histoire racontée. Dans le premier cas elle est un événement de ce monde au même titre qu'une conversation ou qu'une course de chars. Que la rencontre de Marie (dans *Casque d'or* de Jacques Becker, 1952) et de Georges ait lieu au cours d'un bal-musette donne à la valse qui les réunit une importance essentielle, mais il s'agit d'une circonstance liée au contenu de l'histoire, non d'une fonctionnalité propre au musical.

Lorsqu'elle semble venir de nulle part (« musique de fosse », suivant l'appellation de Michel Chion, 1985), extérieure au monde diégétique, son rôle s'apparente alors à celui du commentateur. Tout se passe comme si elle me soufflait à l'oreille, à la faveur de la pénombre, ses propres directives, soulignant ici une atmosphère de tension dramatique, là d'émotion amoureuse, plus loin de tristesse contenue. Elle ajoute aux significations produites par l'iconique et le verbal ses propres modulations et connotations (que ce soit en redondance, en contrepoint, en parallèle ou en contradiction). Au-delà de cette fonction habituelle, elle peut aussi intervenir dans la structuration du discours narratif. Lorsqu'elle aide à la démarcation séquentielle notamment (la fin d'une séquence étant soulignée par l'évanouissement de la phrase musicale, par exemple), ou lorsqu'elle met en valeur par un leitmotiv telle ou telle donnée du récit.

En un sens elle intervient comme une sorte de discours rapporté, du moins dans le cinéma narratif le plus courant. Plus rares sont les films où elle est structurellement intégrée au fonctionnement du récit (Michel Fano – pour les films d'A. Robbe-Grillet ou de François Bel et Gérard Vienne –, Jean-Luc Godard, Peter Greenaway, Jacques Tati, Raoul Ruiz, en sont quelques heureuses exceptions ... la liste n'est pas close). Elle est alors susceptible de produire son propre travail de relance interne. Elle n'est plus seulement une voix rapportée (voix au demeurant qui peut être intelligente et juste), elle a force de proposition narrative et structurelle. Mais c'est encore fort loin d'être l'usage dominant dans la production commerciale habituelle.

Ainsi, en raison du caractère pluriel et hétérogène de ses matières de l'expression, tout film travaille simultanément plusieurs sources d'information. Ce potentiel d'expressivité propre au cinéma, à la fois riche et complexe, autorise alors, en théorie, des stratégies narratives d'une extrême diversité. Si l'on ajoute à cela le caractère fort singulier des conditions de projection-réception qui font du spectateur un sujet momentanément coupé de l'épreuve de réalité, on voit que le médium cinématographique n'est pas (en dépit de l'appellation) un simple moyen dont userait le récit pour se déployer, mais que celui-ci n'a d'existence filmique que pour autant que celui-là lui donne forme. Toutefois, et comme en retour, le récit – en tant que visée, projet et structure – intervient dans l'infinie diversité expressive du médium en imposant ses propres « règles », par lesquelles le spectateur est en mesure de distinguer empiriquement et intuitivement, parmi les diverses formes discursives, ce qui relève du film narratif.

TEXTES

■ **Le film et le spectateur**

On apparente souvent le spectateur à un voyeur ; Christian Metz montre ici que la relation entre le film et son spectateur est plus complexe.

Le film n'est pas exhibitionniste. Je le regarde, mais il ne me regarde pas le regarder. Pourtant, il sait que je le regarde. Mais il ne veut pas le savoir. C'est cette dénégation fondamentale qui a orienté tout le cinéma classique dans les voies de l'« histoire », qui en a gommé sans relâche le support discursif, qui en a fait (dans le meilleur des cas) un bel objet fermé dont on ne peut jouir qu'à son insu (et, littéralement, à son corps défendant), un objet dont la périphérie est sans faille et qui ne peut donc pas s'éventrer en un intérieur-extérieur, en un sujet capable de dire « oui ».

Le film sait qu'on le regarde, et ne le sait pas. Il faut, ici, être un peu plus précis. Car, à vrai dire, celui qui sait et celui qui ne sait pas ne se confondent pas tout à fait (c'est le propre de tout désaveu que d'emporter aussi un clivage). Celui qui sait, c'est le cinéma, l'*institution* (et sa présence dans chaque film, c'est-à-dire le discours qui est derrière l'histoire) : celui qui ne veut pas savoir, c'est le film, le *texte* (le texte terminal) : l'histoire. Durant la projection du film, le public est présent à l'acteur, mais l'acteur est absent au public ; et durant le tournage, où l'acteur était présent, c'est le public qui était absent. Ainsi le cinéma trouve-t-il le moyen d'être à la fois exhibitionniste et cachottier. L'échange du voir et de l'être-vu va être fracturé en son centre, et ses deux flancs disjoints répartis sur deux moments du temps : autre clivage. Ce n'est jamais mon partenaire que je vois, mais sa photographie. Je n'en reste pas moins voyeur, mais je le suis selon un régime différent, celui de la scène primitive et du trou de serrure. L'écran rectangulaire permet tous les fétichismes, tous les effets de juste-avant, puisqu'il place à la hauteur exacte où il le veut la barre tranchante et bourdonnante qui stoppe le vu et inaugure la plongée ténébreuse.

Christian Metz, *Le signifiant imaginaire*, U.G.E. 10/18, 1977, p. 117-118.

■ **L'effet de l'identification**

A travers ces quelques lignes de L'effet-cinéma, *c'est une expérience d'identification primaire à la caméra que relate Jean-Louis Baudry.*

Dans l'obscurité du salon, des images s'allument rythmées par le mécanisme du pathé-baby que l'on manœuvre à la main. Des images que je ne comprends pas toujours, mais peu importe ce qu'elles représentent. Seule compte, avec l'accompagnement du cliquetis incessant du mécanisme, la présence de ce monde mobile venu d'ailleurs et dont je dois ressentir la plénitude et la fragilité. Pourtant il y a une vue, celle des grosses pierres pavant une rue qui apparaît bientôt bordée de maisons en ruine. Puis, comme si c'était mon propre regard qui s'élevait, je vois le bout de la rue et encore au-dessus une montagne qui fume. Cette image (j'apprendrai plus tard qu'il s'agit bien de Pompéi), sans qu'évidemment j'en analyse les raisons, entretient une relation peu claire avec le miracle que constitue l'appareil qui me la montre ; tout comme l'énigme que l'un et l'autre me présentent est liée à celle que j'éprouve de ma propre existence d'enfant, de cette vie dont je pressens que ces vues me figurent la préhistoire.

Jean-Louis Baudry, *L'effet cinéma*, Éditions Albatros, 1978, p. 10.

2

Récit et narrativité

Tout comme Monsieur Jourdain qui faisait de la prose sans le savoir, je n'ai nul besoin, pour savoir si je suis en présence ou non d'un récit, d'en connaître les règles. Mon intuition (en fait, ma culture) suffit généralement à cela. Encore qu'il y ait de grands malentendus, et parmi les meilleurs lecteurs : combien de critiques, dans les années 50, ont-ils reproché au Nouveau Roman de n'être pas justement du roman, en l'occurrence du récit.

Néanmoins entre la page économique du *Monde* et une nouvelle de Maupassant, entre un documentaire pédagogique sur les lois optiques et *Les aventuriers de l'arche perdue* (Steven Spielberg, 1981), je n'ai guère de difficulté à dire de quel côté se trouve le récit. Si la démarche empirique se révèle efficace pour la plupart des textes, cela signifie que, mis en présence d'un texte narratif, je suis amené à mobiliser une compétence particulière qui me permet d'entrer dans le jeu du récit. Cela signifie aussi que cette compétence a un objet propre : l'ensemble des règles, codes et protocoles par quoi se constitue la narrativité. C'est elle qui, mise à l'œuvre au sein d'un texte (écrit, oral ou filmique), pourra lui donner sa dimension de récit.

Approche théorique

Il importe de distinguer soigneusement ces deux termes. Car s'il y a nécessairement de la narrativité dans le récit, celui-ci ne se réduit pas à celle-là (les romans balzaciens, par exemple, comportent des moments non narratifs, telles certaines descriptions). Il y a en outre des moments de narration dans des textes qui ne sont généralement pas reçus comme des récits ; nombre de documentaires sur la vie des animaux en font foi avec, entre autres, leurs épisodes dramatisés sur la lutte pour la survie.

Cette distinction permet de sortir de l'embarras théorique lié à la question de la spécificité. Embarras dont l'expression « récit filmique » (au cœur du titre de cet ouvrage) fournit la parfaite illustration. Du « récit » ou du « filmique » qu'est-ce qui l'emporte – question soulevée dès l'introduction – : ou le « récit » est premier, et le film n'en est qu'une des manifestations possibles (la spécificité du médium s'efface) ; ou le « filmique » est premier, et la dimension langagière du médium l'emporte sur la fonction narrative (la spécificité du « récit » s'efface) ; ou encore les deux cohabitent, mais comment, sur quelles bases, et selon quelles règles ? Le problème théorique reste alors entier.

Avec la notion de « narrativité », il est possible de sortir de l'impasse ; à la condition de l'envisager comme un ensemble de codes, de procédures et d'opérations, indépendant du médium dans lequel ils peuvent s'actualiser, mais dont la présence dans un texte permet de reconnaître ce dernier comme étant un récit. Le lecteur familier de ces questions ne manquera pas de remarquer combien cette définition est proche de celle que les structuralistes donnent non pas de la narrativité mais du récit : pour Claude Brémond (1973), par exemple, celui-ci se caractérise par le fait qu'il est « indépendant du médium qui le prend en charge ».

A première vue tout ceci ne serait qu'une question de mot : nous appelons « narrativité » ce que d'autres appellent « récit ». Il nous paraît essentiel en effet de nous déprendre de la polysémie du mot « récit » qui brouille l'approche théorique. En outre, le recours au terme de « narrativité » permet de dégager l'objet qu'elle désigne d'une relation trop exclusive avec un médium particulier ; même si son étude s'est fondée historiquement sur les textes littéraires, la narrativité ne leur est en aucune façon attachée (ce qui n'est pas le cas du mot « récit » qui, pour des raisons historiques et culturelles, conserve une certaine affinité avec eux). De plus, cette distinction permet d'éviter de réduire le récit à la narrativité (le récit c'est aussi cette voix secrète, avec son timbre et ses inflexions, qui s'adresse à moi, celle que j'entends au-delà des mots, des sons et des images, et qui me captive) et de prendre en compte surtout la spécificité du médium, sans pour autant ramener celui-ci à la seule dimension langagière. En effet, la narrativité se définit par son caractère virtuel, elle est de l'ordre du code, du modèle, et doit être, tout comme la grammaire pour la langue, établie, construite, par l'analyste (c'est du reste très largement l'objet des approches structurales) ; elle n'a d'existence qu'actualisée dans un discours narratif (tout comme la grammaire se manifeste dans les phrases effectivement formées), lui-même tributaire d'un médium. C'est donc au médium de gérer, de travailler et d'user de cette narrativité pour produire et inventer ses propres formes discursives qui seront reçues comme du récit. En somme le récit filmique ce n'est pas du récit plus du film (ou du récit et du film), c'est du film qui narre, c'est-à-dire du film modélisé par la narrativité dans le même temps qu'il la met en forme.

Le récit minimal

Innombrables sont les récits du monde. C'est d'abord une variété prodigieuse de genres, eux-mêmes distribués entre des substances différentes, comme si toute matière était bonne à l'homme pour lui confier ses récits : le récit peut être supporté par le langage articulé, oral ou écrit, par l'image, fixe ou mobile, par le geste et par le mélange ordonné de toutes ces substances ; il est présent dans le mythe, la légende, la fable, le conte, la nouvelle, l'épopée, l'histoire, la tragédie, le drame, la comédie, la pantomime, le tableau peint (que l'on pense à *La Sainte Ursule* de Carpaccio), le vitrail, le cinéma, les comics, le fait divers, la conversation.

Face à cette extrême diversité, qu'évoque de si belle manière Roland Barthes (1976), une question n'a pas manqué de surgir très tôt dans la réflexion théorique : de cette profusion, est-il possible de dégager les caractéristiques de ce qui serait un récit, et plus particulièrement un récit minimal, sorte de cellule à la base de toute vie narrative ?

Tout en conservant le même objet d'interrogation, la question nous semble devoir être formulée autrement : y a-t-il une opération minimale de narrativité qui, prise en charge par un texte, me permet de reconnaître celui-ci comme un récit et qui en serait comme le noyau ? Pareille formulation offre l'avantage de lever une ambiguïté : le caractère minimal du récit est totalement indépendant de la taille de celui-ci ; l'opération minimale de narrativité peut se condenser en une phrase ou se déployer sur des dizaines de pages (de ce point de vue l'œuvre de Nathalie Sarraute en serait la parfaite illustration).

Depuis les travaux de Vladimir Propp (sur lesquels on reviendra d'ici peu) et la lignée de ceux qui ont suivi, il semble établi que le récit minimal répond à la figure nucléaire suivante :

équilibre → déséquilibre → rééquilibre

Ce qui pourrait se paraphraser ainsi : à la suite d'un événement, un monde jusque-là stable se trouve déséquilibré. Dès lors il vise à retrouver sa stabilité, soit par l'instauration d'un nouvel équilibre, soit par le retour à l'équilibre premier. Sur le modèle de cette seconde option s'organisent tous les épisodes d'Astérix le Gaulois : le festin de sanglier qui rituellement clôt chaque aventure n'est-il pas le signe manifeste du retour à l'équilibre initial, enfin retrouvé après les multiples péripéties ?

A l'observer plus attentivement, ce principe ternaire repose sur la mise en œuvre d'une transformation instaurant un désordre. Au sein d'un monde dans l'état X surgit un événement Y produisant un nouvel état Z de ce monde. Passage d'un état à un autre, c'est là ce qui nous semble être l'opération minimale de narrativité. Elle suppose le surgissement d'un événement, opérateur de la transformation.

Or il s'agit bien, selon notre distinction, d'une opération élémentaire de narrativité et non d'un récit minimal, car un événement n'est pas un récit. L'éruption soudaine du Vésuve est un événement du monde réel susceptible de transformer l'état de ce monde. Et ce n'est pas une histoire ! En revanche *Les derniers jours de Pompéi* (Mario Bonnard, 1959) en est une. Pour cela une condition expresse est requise : que cet événement soit rapporté à quelqu'un ; ou, si l'on préfère, que l'événement en question quitte son champ d'action réel pour passer dans le champ de la communication.

Au reste cette difficulté à discerner deux notions voisines trouve son écho dans la polysémie que l'usage courant prête au mot « récit ». Gérard Genette (1972) en rappelle les trois acceptions. Avec la première, probablement celle qui vient le plus immédiatement à l'esprit, le mot « récit » désigne l'ensemble des événements racontés (comme une réponse à la question prosaïquement formulée : qu'est-ce que ça raconte ?). La seconde, à l'inverse, fait de « récit » le terme qui désigne l'énoncé par lequel sont rapportés ces mêmes événements. C'est la forme du récit qui est désignée, non son contenu. La troisième acception, beaucoup plus particulière parce qu'elle est issue de l'usage théâtral et qu'elle réfère aux arts de la représentation, oppose le récit à l'imitation (la diégésis à la mimésis) : Corneille choisit de faire raconter par Rodrigue la bataille contre les Maures plutôt que de la montrer en la représentant sur scène. Dans ce sens, ou l'on montre ou l'on raconte, et les deux entrent dans un rapport d'exclusion, ce qui n'est pas sans conséquences pour le cinéma : comment peut-il tout à la fois montrer (c'est sa vocation première) et raconter ? Question centrale pour la narratologie filmique, que l'on retrouvera donc au fil des pages. Dans l'immédiat, et à titre provisionnel, rappelons que « montrer », au cinéma, c'est d'abord donner à voir des images et des sons, c'est-à-dire des signes iconiques, et que ceux-ci sont susceptibles de s'organiser en un discours qui raconte.

Hormis cette dernière acception, très particulière mais importante quant aux questions narratologiques qu'elle soulève, on voit que le sens du mot « récit » oscille entre la désignation de l'énoncé narratif et celle de son contenu événementiel. Rien de surprenant à cela puisque l'un et l'autre sont solidaires. Cependant (tout comme la linguistique distingue les deux faces, signifiant et signifié, du signe) le premier geste épistémologique de la narratologie consiste à les distinguer (voir Genette, 1972). Deux directions de recherche en résultent. L'une se donne pour objet l'analyse du discours narratif avec ses stratégies pour impliquer le lecteur-spectateur, l'autre travaille au niveau des contenus événementiels et de leur logique.

Toutefois le débat a été posé (Genette, 1972 et 1981) de savoir si, en tant que discipline, la narratologie avait pour objet ces deux axes ou seulement le premier. Actuellement une sorte de consensus s'est établi, qui admet une narratologie « restreinte » (dont l'objet est le discours du récit) et une narratologie « élargie », qui prend aussi en charge, sous diverses conditions, les analyses de contenu, historiquement premières. En effet ce sont elles qui, même si aujourd'hui leur statut narratologique prête à discussion, ont ouvert la voie à une approche raisonnée du récit. Ce sont elles, grâce notamment aux travaux de Vladimir Propp, qui fondent l'attitude épistémologique par laquelle le récit devient objet de savoir.

La perspective structurale

Jusqu'au début du xxᵉ siècle la tradition philologique universitaire visait à une approche historique et comparée des contes folkloriques indo-européens, et pour cela recueillait une quantité considérable de récits généralement assez brefs et simples. L'un des caractères frappants de ce vaste domaine narratif est d'offrir une très grande diversité (jamais deux contes identiques) en même temps que se lisent diverses récurrences et ressemblances, en dépit de l'appartenance à des aires culturelles et géographiques souvent éloignées. Rompant avec la tradition philologique, Vladimir Propp propose un regard neuf sur ce corpus, en même temps qu'il fonde l'approche structurale. Il va montrer que les analogies repérées par les folkloristes entre contes géographiquement éloignés ne sont pas à rapporter nécessairement à un ancien fonds culturel commun, mais s'expliquent par la présence de structures narratives communes.

En effet, l'observation de plus d'un millier de contes lui permet d'établir le « catalogue » des 31 fonctions ayant servi à leur élaboration. Une sorte de grammaire élémentaire du récit est ainsi mise en place. A partir de ces 31 éléments et de leurs diverses combinaisons, s'obtient un potentiel considérable d'«histoires».

Mais que faut-il entendre par fonction ? Nombre de contes, par exemple, débutent par une séparation, celle d'un personnage d'avec sa famille, sa ville, son pays, etc. Cette rupture avec le milieu originel répond à l'une des fonctions répertoriées par Vladimir Propp. C'est donc une sorte d'action-type, prise en charge par un sujet, entretenant un rapport de causalité avec d'autres actions ; l'éloignement instaure un déséquilibre entraînant diverses conséquences. Au niveau de l'histoire racontée (de la manifestation textuelle donc) cette fonction « séparation » sera ensuite, selon les récits, incarnée de diverses manières : ici, c'est M. Martin qui, à la suite d'une mutation, va rejoindre son poste dans une ville éloignée ; là tel baron qui part en croisade vers Constantinople ; ailleurs tel époux qui abandonne le domicile conjugal pour rejoindre sa maîtresse, etc. Chaque récit est alors différent des autres quoique introduit de la même manière : une séparation. Sous la diversité de surface, il appartient à l'analyse de dégager la structure du récit.

Adoptant ces principes institués par Propp, de nombreuses études affineront les modèles analytiques. Dans tous les cas elles visent à mettre en évidence la « logique du récit » (expression qui sert de titre à l'ouvrage cité de Claude Brémond). Vraisemblable, causalité, solidarité fonctionnelle, distribution et temporalité sont quelques-uns des principes narratifs qui feront l'objet de développements essentiels. L'intérêt de l'approche structurale réside en ce qu'elle a montré que tout récit comportait les caractères d'un système, et que sa création ne relevait pas seulement d'une ineffable inspiration, mais d'un ensemble d'opérations précises, certes complexes, mais repérables et descriptibles.

Toutefois elle a aussi ses limites. La première tient à la nature du corpus le plus souvent étudié. Contes et récits brefs, parce qu'il s'agit de formes assez simples, permettent la mise en évidence de structures élémentaires et de fonctions narratives de base, mais celles-ci ne sont pas toujours suffisamment fines pour rendre compte d'organisations complexes comme celles du roman ou du film de long métrage. La seconde touche à l'objet même de l'approche structurale. Visant à décrire la logique sous-jacente, son objet est en fait la narrativité plus que le récit. En raison de ses options méthodologiques, elle tient à l'écart les composantes spécifiques du médium. En soi cela ne saurait être regrettable (la rigueur méthodique implique la sélection de données considérées comme pertinentes et donc l'exclusion des autres), mais l'analyse du récit filmique ne saurait se satisfaire de cette seule approche. D'autre part celle-ci, toujours en raison de ses options méthodologiques, ne permet pas de comprendre comment on passe du niveau de la structure sous-jacente à celui de l'histoire telle qu'elle est racontée : quelles opérations, quelles transformations, quelles procédures doivent être mobilisées pour passer du niveau abstrait, celui de la fonction-type, à celui, concret et perceptible par le lecteur, de la mise en phrases finale. Précisément, tout en reprenant l'analyse au niveau des structures, les travaux d'Algirdas-Julien Greimas (et, plus généralement, la sémiotique qu'il a inspirée) viseront à décrire les opérations de transformation d'un palier narratif à l'autre.

La sémiotique greimassienne

❏ *Le schéma actantiel.* Poussant plus loin encore la logique structurale, A.-J. Greimas (1970) montre que tout récit met en jeu six fonctions élémentaires et solidaires. Dans cette perspective, le récit minimal se décrirait ainsi : mandaté par A, B se met en quête de C pour le compte de D ; au cours de cette quête il peut recevoir l'aide de E et faire face à l'opposition de F. C'est là, sous une forme paraphrasée, la présentation du modèle actantiel proposé par Greimas. En effet, ce que nous désignons à l'aide des lettres A, B, C, D, E, F correspond à ce que Greimas appelle les actants du récit, et qu'il nomme respectivement : destinateur, sujet, objet, destinataire, adjuvant et opposant :

Destinateur
(A)
Sujet ⟶ Objet
(B)   (C)
Destinataire
(D)
Adjuvant
(E)
Opposant
(F)

Si l'on considère le récit en termes de dynamique (équilibre, déséquilibre, nouvel équilibre), cela signifie qu'il met en jeu diverses forces de nature conflictuelle ou complémentaire. Ce sont précisément ces forces que représentent les actants. Elles peuvent donc recevoir diverses figurations : personnages, animaux, objets, voire sentiments. C'est la jalousie (destinateur) qui peut conduire l'amant évincé (sujet) à empoisonner (poison = adjuvant) son rival (objet).

De cela découlent deux autres caractéristiques de l'actant : d'une part, un même actant peut être incarné (au plan de la manifestation textuelle) par plusieurs « figures » (l'adjuvant sera représenté dans un même conte par la baguette magique, un devin, une formule secrète, etc. : chacun a la même fonctionnalité, venir en aide au sujet) ; d'autre part, un même personnage peut occuper simultanément plusieurs positions actantielles : le sujet qui agit pour son propre compte (le gentleman-cambrioleur, par exemple) est à la fois sujet et destinataire.

Du fait de sa simplicité, le modèle actantiel offre une réelle valeur opératoire, applicable aussi bien aux récits simples qu'à ceux qui présentent une certaine complexité (et, naturellement, indépendamment du médium qui les prend en charge). Néanmoins, dans ce dernier cas, la description actantielle doit s'accompagner de nouvelles procédures.

❐ **Les limites du schéma actantiel.** Dans *La maison idéale* (court métrage de Robert Emhardt, 1958), un homme (M. Waterburry) s'arrête dans une petite ville pour y acheter une maison. Mais la propriétaire en demande un prix exorbitant. Malgré cela, l'homme s'en rend acquéreur. Toutefois il n'en jouira pas puisque Mme Grimms l'empoisonne aussitôt. C'est qu'en réalité la vieille dame attendait depuis longtemps l'homme qui avait tué son fils, l'acquéreur précisément. En effet (un long flash-back le raconte), bien des années auparavant, à la suite d'un hold-up, le fils était venu se réfugier dans la maison maternelle avec la totalité du butin. Son complice, furieux d'être spolié, s'introduisit de nuit dans la maison et le tua ; toutefois, dérangé par la mère, il s'enfuit sans avoir eu le temps de retrouver le butin. Mme Grimms savait donc que seule une personne ayant connaissance de l'existence d'un trésor dans la maison pourrait accepter d'en acquitter un tel prix et cela étant, se dénoncerait comme le meurtrier de son fils.

Sans être d'une extrême complexité, ce film ne saurait se laisser décrire structurellement à l'aide d'un seul schéma actantiel. D'abord parce que l'on a affaire à deux récits au moins : la vengeance de la mère (récit premier), le fils assassiné (récit second) et qu'il faudrait recourir à deux schémas, un pour chacune des deux quêtes. Ensuite et surtout parce que, pour le récit premier à lui seul, nous devons, d'une part prendre en compte le double point de vue qu'implique la vente-achat (celui de l'acquéreur, celui de la vendeuse), d'autre part introduire un facteur de modalisation pour décrire le jeu sous-jacent à la tractation commerciale.

L'objet (la maison) étant placé sous le signe d'intérêts contraires, l'élaboration du schéma actantiel varie en fonction du sujet. Si je choisis le point de vue de l'acquéreur (il est sujet d'une quête d'appropriation), la propriétaire est alors en position d'opposant puisque c'est elle qui résiste à la demande. Inversement, dans la perspective de la vendeuse, l'acquéreur est l'opposant puisqu'il doit résister à des conditions financières excessives. Chacun joue à la fois le rôle de sujet et d'anti-sujet (situation narrative classique qu'A.-J. Greimas décrira ultérieurement à l'aide d'une deuxième version du modèle actantiel). D'autre part, la tractation commerciale n'étant ici qu'un stratagème pour amener l'assassin à se découvrir, un principe de modalisation doit être introduit pour distinguer le paraître de l'être, c'est-à-dire la quête explicite et apparente (vente-achat d'une maison) de la quête implicite et réelle (découverte de l'assassin), et cela du seul point de vue de la vendeuse.

En effet si la quête explicite est la vente de la maison (avec, peut-on supposer, le besoin comme destinateur – il pousse la vieille dame à se défaire de ses biens –, le charme de la maison comme adjuvant – elle est sensée plaire à l'acquéreur – et, notamment, le prix comme possible opposant), la quête réelle de Mme Grimms est celle de la découverte de l'assassin de son fils. Le destinateur est alors la vengeance (et l'amour maternel) tandis que, surtout, le prix exorbitant qui était un opposant possible pour une tractation « normale » (et ce fut longtemps le cas, puisque le film nous apprend que la maison est restée en vente sans succès pendant cinq ans) devient le meilleur adjuvant de cette quête. Le récit joue alors sur le double sens de la quête dont l'un, évident, n'est que le leurre chargé de mettre au jour la vérité. M. Waterbury tombe dans le piège, mais le spectateur aussi. Le modèle actantiel, en mettant en évidence la double structuration sur laquelle repose le film (une quête apparente chargée de masquer la véritable quête), permet de comprendre le fonctionnement du piège.

La sémiotique greimassienne ne se limite pas à l'analyse du texte en « structure profonde » ; son ambition vise à décrire et comprendre les diverses opérations qui permettent sa genèse, depuis son noyau structurel jusqu'à l'état final de sa mise en phrases (c'est le texte écrit et littéraire qui, pour l'essentiel, sert de support à ses investigations). Cependant, parce qu'elle est d'abord une sémiotique (sa visée est donc le sens et la signification), elle n'est pas centrée sur le récit, même s'il a pu constituer un terrain de réflexion éminemment productif. En ce sens, si la narratologie peut trouver dans la sémiotique greimassienne des concepts, des outils, voire des objectifs du plus grand intérêt, elle ne saurait se confondre avec elle. Même si elles se rencontrent, l'une et l'autre n'ont pas le même objet.

Le programme de Roland Barthes

En fait c'est à Roland Barthes que l'on doit la tentative la plus complète pour embrasser le champ de la narratologie. Dans son étude déjà ancienne, « Introduction à l'analyse structurale des récits » (1976), il fait l'exposé des divers niveaux d'analyse du récit, définissant ainsi, bien qu'il ne le présente pas comme tel, un véritable programme pour la narratologie. Des questions relevant de la logique événementielle à celles mettant en jeu les stratégies narratives (qui voit ? qui parle ?), en passant par les problèmes de la fonctionnalité des divers constituants, c'est tout à la fois la narrativité, telle que nous l'entendons ici, et le récit en tant que discours qu'il invite à prendre pour objet. On ne peut qu'en recommander la lecture attentive. En outre il met l'accent sur deux caractéristiques essentielles : le principe de solidarité interne des constituants du récit et, corollairement, leur valeur fonctionnelle.

A la différence de ce qui se passe dans l'expérience quotidienne, rien dans le récit n'est « insignifiant » ou plutôt, pour reprendre l'expression de R. Barthes, « tout fait sens ». En tant qu'entité close (le récit a un début et une fin, fût-elle ouverte), chaque élément qui le compose, à la fois participe à la construction d'ensemble et entre en relation avec les autres. Il s'agit là du principe de solidarité, évoqué au chapitre précédent, en vertu duquel un effet général d'échanges et d'influences mutuelles s'exerce entre tous les éléments, tant au plan structurel qu'au plan sémantique.

Cependant tout ne fait pas sens de la même manière, et R. Barthes distingue, sur la base de ce critère, deux grandes catégories d'éléments : les fonctions et les indices. Aux premières le soin de faire progresser le récit, aux seconds celui de l'étoffer. Les unes sont du côté du « faire », les autres du côté de l'« être ».

Soit l'énoncé suivant : « Intrigué, James Bond attendit un instant avant de décrocher l'un des quatre combinés blancs du bureau » (version libre et personnelle). Tandis que « James Bond attendit un instant avant de décrocher » relève d'un faire, « intrigué » et « l'un des quatre combinés blancs » traduisent un état, celui de la personne dans le premier cas, celui des lieux dans le second.

Bien que relevant tous de l'être, les indices ne fonctionnent pas tous sémantiquement de la même manière ; aussi R. Barthes propose-t-il de les subdiviser entre « indices proprement dits » et « informants », tout comme il propose de subdiviser les fonctions en « fonctions cardinales » d'une part, « fonctions catalyses » d'autre part.

Pour reprendre notre exemple, on voit bien que « intrigué » apporte une information toute faite, explicitement formulée, tout comme nous apprenons qu'il y a quatre appareils téléphoniques en ce lieu ; ce sont des informants. Cependant la présence de quatre appareils dans le bureau n'est pas neutre ; elle indique, mais de façon implicite cette fois, que nous sommes dans un lieu important (quelque centre de décision, service de renseignements ou bureau d'un possible financier international, comme on voudra). En somme « quatre » agit comme un connotateur du pouvoir (politique, policier ou économique). C'est à proprement parler un indice. Tout comme la fumée pour le feu, il est là pour signifier autre chose.

De façon similaire, si « James Bond attendit avant de décrocher » comporte deux actions (deux « faire »), elles n'ont pas la même fonction au sein du récit. En effet, imaginons une suite à notre premier énoncé : « A peine eut-il soulevé le récepteur qu'une sirène d'alarme se mit à hurler d'étage en étage jusqu'au poste de garde ». A l'évidence, des deux actions, une seule a eu des conséquences et a donc entraîné la suite du récit, l'autre avait une simple valeur préparatoire. « Décrocher » est ici une fonction cardinale, « attendre » une fonction catalyse. Celle-là, comme le dit Roland Barthes, est « un moment de risque » du récit, un moment qui ouvre ou clôt une alternative (décrocher ou ne pas décrocher ?). Celle-ci assure le lien entre deux fonctions cardinales, soit pour la préparer, soit pour la retarder (elle est donc, notamment, un des grands opérateurs du suspense).

Si l'on examine maintenant sous l'angle de la construction narrative ces quatre façons de « faire sens », on voit se dessiner une nette dissymétrie : seule la fonction cardinale fait avancer le récit, les indices (proprement dits et informants) ainsi que la fonction catalyse contribuent à l'étoffer, à l'enrichir, à lui donner sa diversité. On retrouve alors, mais à partir d'une autre perspective, cette distinction essentielle (geste méthodologique, fondateur des analyses du récit, institué par Propp et sans cesse reconduit depuis) entre le niveau profond du récit (réel mais non perceptible, que l'analyse seule peut faire apparaître) et la manifestation textuelle de surface (ce qui m'est effectivement donné à lire, à voir ou à entendre). Aux fonctions cardinales le soin de structurer le texte, de fonder sa logique événementielle, aux indices et à la fonction catalyse de produire cette diversité de détails qui fait, pour le lecteur-spectateur, la différence des récits.

De l'approche structurale, initiée par Propp, au programme de Roland Barthes en passant par la sémiotique greimassienne, on retrouve la même option méthodologique : celle qui consiste à distinguer dans un récit ce qui est manifeste, donné immédiatement, de ce qui est sous-jacent, au-delà des apparences. Historiquement c'est donc avec l'analyse des contenus que les bases d'une possible narratologie ont été posées. En somme, ce qui était visé, même si cela n'était pas formulé en ces termes, c'était la narrativité, c'est-à-dire ce qui, par sa présence même dans un texte, me permet de reconnaître ce dernier comme étant un récit. Toutefois, et en dépit de ce qu'un rapide survol historique pourrait laisser entendre, la narrativité ne se réduit pas à la logique événementielle ni à la structuration des contenus (si bien que l'on a pu parler de « narrativité intrinsèque » et de « narrativité extrinsèque », voir Gaudreault, 1990). Elle intervient à bien d'autres niveaux du texte, notamment dans les protocoles grâce auxquels le lecteur-spectateur accède au monde diégétique.

TEXTES

■ Le propre de l'homme : le récit

Avant de proposer un véritable programme pour l'analyse du récit, en distinguant notamment ses divers niveaux de pertinence, Roland Barthes fait de fort belle manière l'éloge du récit qui constitue l'une des activités constantes, essentielles et caractéristiques de l'homme.

Innombrables sont les récits du monde. C'est d'abord une variété prodigieuse de genres, eux-mêmes distribués entre des substances différentes, comme si toute manière était bonne à l'homme pour lui confier ses récits : le récit peut être supporté par le langage articulé, oral ou écrit, par l'image, fixe ou mobile, par le geste et par le mélange ordonné de toutes ces substances ; il est présent dans le mythe, la légende, la fable, le conte, la nouvelle, l'épopée, l'histoire, la tragédie, le drame, la comédie, la pantomime, le tableau peint (que l'on pense à *La Sainte Ursule* de Carpaccio), le vitrail, le cinéma, les comics, le fait divers, la conversation. De plus, sous ces formes presque infinies, le récit est présent dans tous les temps, dans tous les lieux, dans toutes les sociétés ; le récit commence avec l'histoire même de l'humanité ; il n'y a pas, il n'y a jamais eu nulle part aucun peuple sans récit ; toutes les classes, tous les groupes humains ont leurs récits, et bien souvent ces récits sont goûtés en commun par des hommes de culture différente, voire opposée : le récit se moque de la bonne et de la mauvaise littérature : international, transhistorique, transculturel, le récit est là, comme la vie.

Une telle universalité du récit doit-elle faire conclure à son insignifiance ? Est-il si général que nous n'avons rien à en dire, sinon à décrire modestement quelques-unes de ses variétés, fort particulières, comme le fait parfois l'histoire littéraire ? Mais ces variétés même, comment les maîtriser, comment fonder notre droit à les distinguer, à les reconnaître ? Comment opposer le roman à la nouvelle, le conte au mythe, le drame à la tragédie (on l'a fait mille fois) sans se référer à un modèle commun ? Ce modèle est impliqué par toute parole sur la plus particulière, la plus historique des formes narratives. Il est donc légitime que, loin d'abdiquer toute ambition à parler du récit, sous prétexte qu'il s'agit d'un fait universel, on se soit périodiquement soucié de la forme narrative (dès Aristote) ; et il est normal que cette forme, le structuralisme naissant en fasse l'une de ses premières préoccupations : ne s'agit-il pas toujours pour lui de maîtriser l'infini des paroles, en parvenant à décrire la « langue » dont elles sont issues et à partir de laquelle on peut les engendrer ? Devant l'infini des récits, la multiplicité des points de vue auxquels on peut en parler (historique, psychologique, sociologique, ethnologique, esthétique, etc.), l'analyste se trouve à peu près dans la même situation que Saussure, placé devant l'hétéroclite du langage et cherchant à dégager de l'anarchie apparente des messages un principe de classement et un foyer de description. [...]

Pour décrire et classer l'infini des récits, il faut donc une « théorie » (au sens pragmatique que l'on vient de dire), et c'est à la chercher, à l'esquisser qu'il faut d'abord travailler.

Roland Barthes, « Introduction à l'analyse structurale des récits »,
in : *Poétique du récit*, Seuil, « Points », 1976, pp. 7-8 et 10.

■ Un principe fondamental : la détermination des invariants

Claude Brémond, s'inspirant des travaux de Vladimir Propp, s'interroge ici sur une opération essentielle de l'analyse structurale des récits, la recherche des invariants.

Comparons les quatre segments de récits suivants :
1. Un roi donne un aigle à un héros. L'aigle emporte le héros dans un autre royaume.
2. Un vieillard donne un cheval à Suçenko. Le cheval emporte Suçenko dans un autre royaume.
3. Un sorcier donne une barque à Ivan. La barque emporte Ivan dans un autre royaume.
4. Une princesse donne à Ivan un anneau. De l'anneau sortent des jeunes gens qui emportent Ivan dans un autre royaume.

La parenté formelle de ces quatre segments narratifs saute aux yeux : « les noms des personnages changent, de même que leurs attributs respectifs, mais ni les actions ni les fonctions ne changent » (Propp). Dans l'exemple choisi, nous avons, quatre fois répétées, deux actions qui se succèdent en vue d'un résultat identique : un don et un transfert, le don introduisant le transfert et le transfert introduisant à son tour un épisode indiqué dans la suite du conte. Du même coup, nous saisissons le principe qui va nous permettre de séparer l'invariant du variable. L'invariant, c'est la fonction que tel ou tel événement, en venant à se produire, remplit dans le cours du récit ; le variable, c'est l'affabulation mise en œuvre dans la production et les circonstances de cet événement. Ce qui compte, c'est donc de savoir ce que fait un personnage, quelle fonction il remplit ; quant à la question de savoir par qui la chose est faite (l'homme, animal, être surnaturel, objet), quels moyens cet agent utilise pour la faire (persuasion, duperie, violence, magie, etc.) et dans quelle intention il la fait (pour nuire, rendre service, s'amuser, etc.), elle tombe, nous dit Propp, « dans le domaine de l'étude accessoire ».

Claude Brémond, *Logique du récit*, éditions du Seuil, 1973, p. 14.

3

Fiction et monde diégétique

Jusqu'ici il m'est arrivé d'employer, plus ou moins indifféremment, les mots « récit » et « fiction » sans établir entre eux de distinction particulière. Or ils ne sont pas synonymes. Paul Ricœur (1991), par exemple, dissocie le récit historique du récit de fiction. En effet, si l'historien raconte des événements du passé, ils ne sont pas pour autant donnés comme de la fiction, bien au contraire. Les deux termes demandent donc à être soigneusement distingués.

Pourtant au cinéma, et jusqu'à un certain point, la confusion est, sinon acceptable, du moins compréhensible. L'industrie du cinéma-spectacle, du cinéma commercial – celui qui occupe les écrans des villes et des campagnes – repose depuis des décennies sur la diffusion de films racontant des fictions. Le cinéma documentaire, par exemple, qui lui aussi « raconte » d'une certaine manière, n'entre plus que très exceptionnellement dans cette logique économique (alors qu'il n'en allait pas ainsi dans les toutes premières années du « cinématographe », voir Burch, 1991). Cela signifie que, pour le spectateur d'aujourd'hui, aller dans une salle c'est avant tout aller voir un film narratif de fiction et donc être culturellement incité à assimiler récit à fiction. L'effort nécessaire à leur distinction n'en est que plus impératif.

Le film de fiction

Le dicton nous prévient : la réalité, bien souvent, dépasse la fiction. De plus il n'est pas rare, toujours suivant les mêmes sources, que la fiction soit plus vraie que la réalité. Pourtant lorsque je vais au cinéma je me trompe rarement ; généralement je sais si je vais voir un film de fiction ou non. D'où me vient ce savoir ; est-il extérieur ou interne au film ?

A l'évidence, avec le mode de consommation cinématographique le plus courant, je n'ai guère de chances de commettre d'erreur : l'environnement médiatique est tel que se trouver en présence d'un film dont on ignorerait tout de lui devient de plus en plus improbable. Je sais au moins si je dois m'attendre ou non à pénétrer dans un monde de fiction. En ce sens Roger Odin (1988) a raison de parler du conditionnement qui me conduit à me placer en situation de spectateur « fictionnalisant », c'est-à-dire prêt à entrer dans la fiction et à adopter l'attitude conforme à un bon régime de réception. L'industrie cinématographique, du reste, a besoin de cette coopération puisque celle-ci est un gage de la fidélité de sa clientèle. Dès lors que l'acte commercial primordial consiste à attirer le public vers les salles – ce lieu où fait retour l'argent investi lors de la production – aucun film n'échappe à la publicité (au sens propre). Si le livre, dans une certaine mesure, peut s'accommoder de la diffusion confidentielle, se laisser découvrir au hasard des rayons de librairie, s'accompagner d'un relatif anonymat, il n'en va pas de même pour le film. Toujours il doit être annoncé et, ce faisant, toujours se dit quelque chose de lui et sur lui. L'institution cinématographique, du fait même de son système économique, sait me prévenir pour qu'il n'y ait pas de méprise quant à mon attente.

Toutefois faire de l'institution le seul garant de mon savoir ne résout rien. Cela ne me dit pas ce qui lui permet, elle, de dire que tel film est de nature fictionnelle ou de type documentaire. Lorsqu'elle décide de distribuer un film présenté comme fictionnel, encore faut-il – du moins pour éviter une déroute commerciale – que le public le reçoive bien ainsi. Cela signifie alors qu'existe de façon empirique un consensus culturel, généralement non explicite, sur la base duquel je suis capable, à la vision du film, de savoir s'il est de type documentaire ou fictionnel. Il y aurait donc un ensemble de traits internes grâce auxquels je serais en mesure d'établir cette distinction (néanmoins la frontière est poreuse et certains films, jouant sur de possibles ambiguïtés, rendent parfois difficile cette distinction ; songeons, par exemple, à *Idi Amin Dada* de Barbet Schroeder, 1974, ou encore à tous les documentaires intégrant une part de reconstitution fictionnelle dans leur démarche).

Cependant, avant d'examiner cette question, une autre ne manque pas de surgir : comment se fait-il que cette distinction entre le régime fictionnel et documentaire se pose avec une telle acuité au cinéma alors que le théâtre, par exemple, tout aussi médiatique que lui, ne la connaît pas vraiment ? N'est-ce pas lié au statut même de l'image filmo-photographique et à ses enjeux ? Lorsque je suis au théâtre j'ai, sur la scène, des êtres bien vivants qui, pour cette raison même, ne sauraient être confondus avec les personnages qu'ils interprètent : cette réalité très présente du « matériau » théâtral empêche la fiction de se coaguler à elle. Au théâtre je suis d'emblée dans la fiction : les êtres bien vivants qui sont là sur la scène valent non pas pour eux-mêmes mais pour le rôle qu'ils investissent. Au cinéma il en va tout autrement : le son et l'image mouvante, tout à la fois, sont frappés de réalité et d'irréalité (Metz, 1977). L'image n'est qu'une image (l'objet qu'elle figure est absent) mais son caractère analogique, d'une certaine manière, « présentifie » l'objet. Elle est par essence ambiguë et détermine chez le spectateur un régime de crédulité flottant ; documentaire et fiction y sont fondamentalement indécidables. C'est donc à l'organisation du récit lui-même que revient le soin de produire les effets de fiction d'une part, les effets de documentaire de l'autre.

Le monde diégétique et sa cohérence

Précisément l'un des traits remarquables du film narratif fictionnel tient à la cohérence du monde diégétique qu'il construit.

C'est à Étienne Souriau (1953) que l'on doit la reprise du terme « diégèse » hérité de la rhétorique antique, auquel il donne un sens nouveau : « Tout ce qui appartient "dans l'intelligibilité" [...] à *l'histoire* racontée, au monde supposé ou proposé par la fiction du film. » S'il recoupe en certains points les termes de « histoire », « récit », « narration » ou encore « fiction », il ne saurait se confondre avec eux. Le propre de la diégèse est de se constituer en monde singulier, ayant ses propres lois et peuplé d'objets (humains, animaux, objets proprement dits), le plus souvent à l'image du monde réel mais pas nécessairement. De plus il s'agit d'un monde que construit imaginairement le spectateur à partir des propositions et suggestions du film. C'est justement ce monde dans lequel je crois m'immiscer lorsque je suis « pris » par l'histoire.

Ainsi défini, le monde diégétique n'est pas, à l'évidence, propre au film de fiction ou au film documentaire ; il est présent dans les deux, mais pas de la même manière. Dans l'un il apparaît comme doué d'une large autonomie, jusqu'à être perçu comme auto-suffisant, ce que renforce sa forte cohérence interne ; dans l'autre il procède davantage par moments, par fragments, entrecoupé ou régi qu'il est par le commentaire verbal ; le principe d'autonomie ne peut s'y développer pleinement dès lors que le documentaire toujours, d'une certaine manière, a besoin de l'univers réel auquel il fait référence pour exister. Le monde diégétique de la fiction, lui, existe par lui-même, ou du moins en donne la forte illusion. Sa cohérence est déjà un fort indice de fiction, bien qu'elle ne suffise pas à l'établir ; d'autres données doivent intervenir. Notamment la présence de personnages, de marqueurs de genre ou encore d'indications verbales (comme ces cartons inauguraux nous avertissant que toute ressemblance avec des événements ou des personnes réels ne serait que pure coïncidence). Bien d'autres éléments (principe de causalité, temporalité, éléments de décor, réglage du point de vue, etc.) pourraient être mentionnés, cependant leur « listage » n'offrirait guère d'intérêt, celui-ci résidant surtout dans leur fonctionnement au sein du film.

Précisément, la présence de ces traits marqueurs du régime fictionnel (et leur reconnaissance par le spectateur) est indispensable au bon fonctionnement de la machine économico-industrielle qu'est le cinéma : ils assurent l'établissement d'un bon régime de coopération entre le film et le spectateur ; en fixant l'horizon d'attente de ce dernier, ils lui évitent une déconvenue qui pourrait être néfaste, elle, à l'industrie cinématographique. On conçoit alors que le début des films soit d'une importance essentielle : dès le départ ils fixent les règles du jeu et de la bonne coopération.

Les débuts de films, moments contractuels

Fort classiquement les premières images de *Rio Bravo* (Howard Hawks, 1959) sont celles du générique ; cependant les indications écrites s'inscrivent en surimpression de l'image mouvante, laquelle propose déjà des informations diégétiques. S'ils préparent le spectateur à la suite des événements, ces tout premiers instants du film ont aussi (et peut-être surtout) pour fonction de fixer le bon régime de réception.

Tout ici dit que nous sommes en présence d'un western, genre cinématographique fortement codé, et que le film devra donc être « lu » relativement à ce genre. Appel est fait à notre culture : si je connais et reconnais ce genre, je saurai dans le même temps que je suis dans le monde de la fiction puisque le western n'a d'autre existence que sur ce mode.

Aucune ambiguïté ne subsiste ; la convergence d'informations réitérées ne laisse place à aucune hésitation. Les mentions écrites d'abord, par leur signification comme par leur forme signifiante. *Rio Bravo*, par le redoublement du « o » de son titre, fournit une précieuse indication : le film s'inscrit dans la tradition des westerns dont l'action se déroule à proximité du Mexique (formant eux-mêmes une sorte de sous-genre). Le graphisme des lettres, suggérant le bois et les planches, rappelle le matériau de construction propre à la civilisation de l'Ouest. Le nom du réalisateur et ceux des acteurs principaux (John Wayne et Dean Martin) confirment l'appartenance au genre. L'image mouvante est elle aussi parfaitement explicite : en plan large et plongée on suit un convoi de chariots et chevaux progressant au fond d'une sorte de canyon aride. A elle seule cette image pourrait servir d'emblème tant elle est familière et codée. Reste la musique qui, tant au niveau instrumental que par son registre dramatique dit, elle aussi, le western. Pour le spectateur possédant un minimum de culture cinématographique, ces premières images sont explicites : elles affichent le contrat fictionnel par le relais du western.

Dans *Shining* (Stanley Kubrick, 1980) c'est l'ample mouvement continu (en dépit de la fragmentation des plans) de la caméra accompagnant l'ascension de la voiture qui m'introduit au cœur du domaine fictionnel ; la position en surplomb de mon regard (par identification à la caméra), la tension du trajet vers l'hôtel « Overlook », la musique, le paysage grandiose de plus en plus inquiétant à mesure que l'on approche du sommet, tout cela dit qu'un drame se prépare. La mise en scène parfaitement sensible place le film sous le signe de la fiction.

Dans *Fenêtre sur cour* (Alfred Hitchcock, 1954), c'est le regard de Jefferies qui construit l'espace où se joueront le meurtre et l'enquête. Le long panoramique descriptif initial m'invite à m'approprier imaginairement ce lieu et du même coup à pénétrer au cœur de la fiction.

Parfois, pour prendre un dernier exemple, les signes sont moins immédiatement visibles, particulièrement lorsque le film affiche une nette option réaliste. La longue rue sur laquelle s'ouvre *Le salaire de la peur* (Georges Clouzot, 1953) pourrait laisser planer un doute quant au régime narratif ; quelque chose de la saisie du réel propre au documentaire affleure, vite effacé cependant par la multiplication des stéréotypes latino-américains d'une part, la concordance trop précise entre les mouvements de foule et d'appareil d'autre part.

Ainsi le début des films constitue un moment particulièrement important. Bien sûr il amorce ce qui sera à développer (il dispense des informations nécessaires à la compréhension de la suite) mais surtout il me confirme le régime narratif adopté, documentaire ou fiction, et dans ce dernier cas il fixe, comme on le verra bientôt, la règle du jeu. Prévenu, je suis alors en mesure de me mettre « en phase » avec lui et de jouir pleinement du monde dans lequel je m'apprête à pénétrer.

Le monde diégétique

Car c'est bien d'un monde dont il s'agit, doué d'une grande force de réalité. Celle qu'implique bien sûr la cohérence de l'univers fictionnel, mais aussi celle liée à la dimension phénoménologique du spectacle. Des événements ont réellement lieu ici et maintenant : sur l'écran, le déplacement des objets filmés s'inscrit bien dans l'espace bi-dimensionnel (l'image de cette voiture qui traverse le champ part du bord gauche pour rejoindre le bord droit du cadre, ou l'inverse, comme on voudra) ; ce personnage qui s'éloigne voit sa taille diminuer régulièrement ; cette pièce que l'on éclaire produit un brutal changement d'intensité lumineuse qui tend à m'aveugler ; ce fracas de tonnerre meurtrit bien mes tympans et, maintenant, le calme paisible de cette forêt tranquille a, comme par enchantement, envahi la salle tout entière. Au cinéma (comme du reste dans tous les spectacles) j'éprouve de vraies sensations qui, ajoutées au pouvoir analogique de l'image filmo-photographique et du son, renforcent l'impression de réalité. Et l'industrie cinématographique, fort habilement, sait jouer à son profit de ce pouvoir. Car, paradoxalement, plus elle affiche la dimension fictionnelle de ses films, plus elle en renforce l'effet de réalité. Prévenu, le spectateur sait qu'il entre dans un monde fictif et le sachant, rassuré parce qu'on ne cherche pas à lui faire prendre les vessies pour des lanternes, il peut s'abandonner au jeu des identifications et des émotions suscitées par le monde diégétique. Il peut même croire en la réalité de ce monde puisqu'il sait qu'il est fictif. Il peut même y croire si fort qu'il peut en oublier, dans ces moments où affleure l'hallucination, de savoir qu'il est fictif. On reconnaît là le régime de crédulité propre au spectacle cinématographique, et singulièrement au film de fiction, que Christian Metz (1977) formule ainsi : « Je sais bien, mais quand même... ». Ambivalence constitutive qu'apporte la « fantasmagorie cinématographique », comme l'on disait dans les premiers temps de ce qui n'était pas encore le septième art.

Le monde diégétique s'impose ainsi à moi de toute la force de sa réalité phénoménologique ainsi que par son aptitude à capturer mon imaginaire. A cela il ajoute, sitôt qu'il raconte, le pouvoir de sa propre dynamique.

Le principe de vectorisation

De l'équilibre instable entre deux forces contraires naît la dynamique du récit (quel que soit son support médiatique, langue écrite ou orale, film, roman-photos, bande dessinée, etc.) : des forces de dispersion, de fragmentation, d'éclatement, de dissémination s'opposent à celles qui visent au rassemblement, à la cohésion, à l'unicité. En soi, donc, ce principe traverse chaque médium sans être propre à aucun d'eux, mais en chacun il trouve à s'actualiser de façon singulière.

Au cinéma c'est à un matériau fondamentalement hétérogène et fragmentaire qu'il aura affaire. Le premier chapitre ayant déjà donné une idée de l'hétérogénéité matérielle, c'est sur la fragmentation que l'on s'attardera un instant. Le film est constitutivement de l'ordre du fragment, celui du photogramme d'abord, celui du plan ensuite. On sait que l'image mouvante résulte de l'enregistrement et de la projection à vitesse standardisée de 24 images fixes par seconde. Le principe de vectorisation qui transforme la fixité réelle en mouvement apparent est ici d'ordre technologique, c'est ce que l'on appelle le défilement standard.

Le second correspond au plan, ce fragment d'espace et de temps que la caméra enregistre d'une seule « coulée ». Ce qui signifie qu'à chaque changement de plan se produit un jeu de différences entre ce qui précède et ce qui suit. Or il est d'expérience courante qu'au sein d'une séquence, emporté par le mouvement dramatique de celle-ci, on ne perçoive pas ces changements. C'est qu'un ensemble de procédures – les règles académiques du « raccord » notamment – veille à dissimuler le « saut » de plan. Dans ce cas la tendance à la fragmentation s'estompe sous l'effet d'une force de cohésion dominante. Le son, qui intervient en simultanéité avec l'image (résultat de l'hétérogénéité des matières de l'expression), pourra contribuer aussi bien à marquer la rupture (la fin d'une phrase musicale et son remplacement brusque par du bruitage, par exemple, soulignant un changement de séquence) qu'à produire un effet de continuité (la musique se poursuivant sur plusieurs plans homogénéise leur ensemble). C'est donc ici par le langage cinématographique que s'actualise le jeu des forces contraires, de dispersion et d'homogénéisation.

Mais il intervient aussi dans le récit et par l'activité de ses composantes. Avec le cinéma narratif classique ce sont elles qui seront les plus sûrs garants de la cohérence. La permanence du personnage principal, par exemple, non seulement assure la continuité narrative mais encore constitue un centre organisateur : c'est par rapport à lui que se structurent l'espace, le temps et les actions. Des principes narratifs aussi veillent à assurer un flux continu : celui de la consécution, par exemple, par lequel une action découle logiquement d'une autre avant d'en produire une troisième. Le code « herméneutique » (R. Barthes, 1976) encore, qui pose une énigme puis la retarde avant de la dévoiler ; la chronologie, bien sûr, qui définit un principe d'ordre dans la succession.

Qu'elles interviennent déjà au niveau du langage cinématographique ou à celui des composantes du récit, des forces cohésives entrent donc en confrontation avec un matériau fondamentalement hétérogène et fragmentaire. La résultante de ce jeu des forces contraires (ce que j'appellerai la « vectorisation ») produit la dynamique propre au monde diégétique et fictionnel. Et celui-ci, en raison même de cette dynamique, implique le spectateur de façon singulière.

Le spectateur partenaire

Contrairement à ce qu'une idée fort répandue laisserait entendre, le spectateur de film n'est en rien un sujet passif. Il ne faudrait pas induire de sa sous-motricité effective une passivité générale. Bien au contraire, le spectateur de cinéma, à l'égal de celui du théâtre ou encore du lecteur d'œuvres littéraires, se livre à une intense activité, cognitive aussi bien qu'émotionnelle. Car le texte, comme le rappelle Umberto Eco (1985), est une machine paresseuse qui fait faire au lecteur la plus grosse part du travail, sur la base des instructions qu'il lui fournit.

❏ *Les postulats narratifs.* Parmi ces instructions figurent en premier lieu les postulats narratifs, ces données instaurant un monde fictionnel possible. Qu'un carton, au début d'un film, m'annonce ceci : « En l'an 2381 : la Terre est sous la menace d'une invasion imminente des forces en provenance de la galaxie Delta... » et je comprendrai que je dois procéder à une accommodation narrative. Le film me dit que j'entre dans l'univers de la science-fiction et que les événements auxquels je vais assister ne sont pas à lire par référence au monde de mon expérience vécue, mais à situer dans un autre contexte, celui d'un univers où la technologie et l'avancée du savoir humain ont radicalement changé les lois de son fonctionnement. Je dois postuler l'existence d'un monde possible, différent de celui dont j'ai l'expérience.

Si l'annonce est faite ici clairement, le plus souvent c'est de manière implicite qu'elle a lieu. Si je désire suivre les aventures de l'homme invisible, je dois admettre la proposition suivante (même si le film ne la formule pas) : « il existe un monde tel que l'un des individus qui le peuplent a la faculté, et lui seul, d'être invisible ». De façon similaire, ma bonne réception de *West side story* (Robert Wise, 1961) dépendra largement du postulat suivant : « il existe un monde tel que les individus qui le peuplent ont la faculté de se mouvoir et d'agir en dansant et chantant ». On comprend ainsi que les marqueurs de genre soient de si grande importance : policier, western, comédie musicale, burlesque, aventures, science-fiction, etc., comportent un ensemble de règles, de traits récurrents et de particularités régissant non seulement leur organisation formelle mais encore le fonctionnement de leur monde diégétique. Les lois de la pesanteur, par exemple, ne produisent pas les mêmes effets selon qu'elles se manifestent dans le western ou dans le burlesque. Ici un personnage peut tomber du vingt et unième étage sans dommages, là, la chute au fond du canyon peut se révéler fatale.

Toutefois, il arrive que les postulats ne soient pas réellement lisibles ; c'est le cas, le plus souvent, avec les films à caractère réaliste. Tout se passe alors comme si une sorte de « super-règle » avait force de loi, que l'on pourrait formuler ainsi : « l'absence de postulats lisibles suppose que je construis un monde diégétique dont les lois sont réputées être celles du monde de l'expérience vécue ». Les événements de la fiction seront conformes à la réalité telle que je la connais, plus précisément telle que je crois la connaître.

❏ *Les possibles narratifs.* En ce sens les postulats fixent les règles de bonne coopération : si je désire jouer correctement, je dois le faire au sein du monde possible défini par l'ensemble des postulats. La vraisemblance du récit en dépend.

En effet, la nature du monde possible détermine un ensemble de possibles narratifs : telle action ou tel événement est conforme ou non aux lois de ce monde. Dans le film historique, par exemple, une « loi » est admise, qui stipule que tous les objets peuplant le monde diégétique devront être conformes à l'état du monde de référence tel qu'on le connaît. C'est par référence à ce que je connais de l'époque postulée que j'évaluerai, par exemple, la « vérité » des costumes de Gérard Depardieu, dans *1492, Christophe Colomb* (Ridley Scott, 1992). De la même manière les actions et événements devront y être compatibles avec les lois régissant ce monde diégétique possible.

❏ *Valeur de vérité des propositions narratives.* La logique mise en jeu peut alors se résumer ainsi : de manière explicite ou implicite le texte filmique propose un ensemble de postulats narratifs sur la base desquels je

construis un monde diégétique possible, avec ses lois et son fonctionnement propres. Au sein de ce monde, et compte tenu de ses particularités, un
champ de possibles est ouvert (tandis que d'autres possibles sont exclus),
qui se rapportent aussi bien à l'état de ce monde qu'à l'ensemble des événements susceptibles de s'y produire.

Dès lors, je suis en mesure d'évaluer la vérité des propositions narratives. Si une séquence filmique me raconte le contrôle policier auquel sont
soumis deux protagonistes (ce qui pourrait se formuler ainsi : « à leur passage de la frontière, X et Y sont sommés de descendre de leur véhicule,
puis ils subissent dans le bureau du commissaire un interrogatoire en
règle » – on aura probablement reconnu le début de *La guerre est finie*
d'Alain Resnais, 1965), je devrai apprécier dans quelle mesure ce récit
d'événement est compatible avec l'éventail des possibles narratifs institué
par le monde possible de référence. Dans l'affirmative je considèrerai cette
proposition narrative comme vraie ; dans le cas contraire je la jugerai irre-
cevable, à moins qu'elle ne me conduise à introduire de nouveaux postulats narratifs susceptibles de modifier les lois du monde, de manière à ce
que la proposition narrative y devienne vraie.

Ainsi le monde diégétique de la fiction ne s'offre pas à moi comme une
entité close sur elle-même, prête à accueillir ma visite. Mon entrée dans la
fiction se fait sur la base d'un pacte stipulant une nécessaire interactivité.
En réponse aux propositions et suggestions du texte filmique, je dois
d'abord trouver le bon régime de coopération, ensuite m'engager dans une
activité cognitive de logique déductive et évaluative (à tout instant je dois
réagir, interpréter, juger, choisir). Par là le texte m'implique dans son
fonctionnement.

Fiction et diégèse : récapitulation

Tel que nous venons de l'analyser, le monde diégétique fictionnel (et son
fonctionnement) n'appartient pas en propre au récit filmique. Les propositions narratives et l'évaluation de leur valeur de vérité, le principe de
causalité aussi bien que celui réglant l'ordre de succession, la fonction
« polarisante » du personnage et la structuration de l'espace-temps qui s'y
rattache sont trans-médiatiques ; ils sont à l'œuvre aussi bien dans le récit
filmique que littéraire (c'est même dans ce domaine que le plus grand
nombre d'entre eux a été mis en évidence), tout comme on les retrouve
dans la bande dessinée, le roman-photo ou le conte oral. Cependant leur

actualisation filmique passe par la prise en compte des contraintes liées spécifiquement au médium cinématographique. Plusieurs conséquences en découlent. D'une part l'activité de vectorisation rencontre frontalement la fragmentation et l'hétérogénéité propres au matériau cinématographique : les forces de cohésion narrative travaillent au cœur du discontinu. D'autre part, pour se placer cette fois-ci du côté du spectateur, la dimension sensorielle de la matière visuelle et auditive (que renforce leur iconicité) fait de la réception du film une expérience phénoménologique. L'implication du spectateur est alors au moins double. Cognitive par l'activité de coopération qui lui est demandée (celle-ci n'étant pas spécifique) ; sensorielle et émotionnelle en raison du matériau proprement cinématographique. Le monde diégétique qui s'offre au spectateur, tout en étant imaginaire, possède un fort caractère de réalité. On conçoit que, dans ces conditions, la fiction puisse apparaître parfois comme plus vraie que la réalité.

Cette double caractéristique de la diégèse filmique, présence de traits non spécifiquement cinématographiques et de traits lui appartenant en propre, se retrouvera tout au long de la deuxième partie de cet ouvrage, lorsque l'on abordera, de façon détaillée, les divers paramètres du récit : personnage, espace et temps. C'est naturellement à saisir au plus près la réalité filmo-cinématographique que l'on s'attachera.

TEXTE

■ **Le rôle du lecteur-spectateur**

Dans Lector in fabula, *Umberto Eco analyse la manière dont le lecteur (mais aussi le spectateur) de récits se trouve en situation de coopération avec le texte. Dans ce bref extrait, ce sont les principes essentiels de cette activité qui sont annoncés.*

Ainsi un texte, d'une façon plus manifeste que tout autre message, requiert des mouvements coopératifs actifs et conscients de la part du lecteur.
Étant donné la portion textuelle :

52

(9) *Jean entra dans la pièce, « Tu es revenu, alors !* » *s'exclama Marie, radieuse,* il est évident que le lecteur doit en actualiser le contenu à travers une série complexe de mouvements coopératifs. Nous négligeons pour l'instant l'actualisation des « co-références » (c'est-à-dire que l'on doit établir que le /tu/ dans l'emploi de la deuxième personne du singulier du verbe /être/ se réfère à Jean), mais, déjà, cette co-référence est rendue possible par une règle conversationnelle selon laquelle le lecteur admet qu'en l'absence d'éclaircissements alternatifs, étant donné la présence de deux personnages, celui qui parle s'adresse nécessairement à l'autre. Règle de conversation qui se greffe sur une autre décision interprétative, une opération extensionnelle effectuée par le lecteur : il a décidé, à partir du texte qui lui est administré, qu'il doit déterminer une portion du monde habitée par deux individus, Jean et Marie, dotés de la propriété d'être dans la même pièce. Enfin, que Marie soit dans la même pièce que Jean dépend d'une autre inférence née de l'emploi de l'article déterminatif /la/ : on parle bien d'une seule et même pièce. Reste à se demander si le lecteur juge opportun d'identifier Jean et Marie, au moyen d'indices référentiels, comme des entités du monde extérieur qu'il connaît à partir d'expériences précédentes partagées avec l'auteur, si l'auteur se réfère à des individus inconnus du lecteur ou si la portion textuelle (9) doit être reliée à des portions textuelles précédentes ou successives où Jean et Marie ont été ou seront interprétés par des descriptions définies.

Mais, même si nous négligeons tous ces problèmes, il n'en demeure pas moins que d'autres mouvements coopératifs entrent indubitablement en jeu. En premier lieu, le lecteur doit actualiser sa propre encyclopédie de façon à comprendre que l'emploi du verbe /revenir/ présuppose d'une manière quelconque que le sujet s'est précédemment éloigné. En second lieu, il est demandé au lecteur un travail inférentiel pour tirer de l'emploi de la conjonction adversative /alors/ la conclusion que Marie ne s'attendait pas à ce retour et de la détermination /radieuse/ la certitude qu'elle le désirait ardemment.

Le texte est donc un tissu d'espaces blancs, d'interstices à remplir, et celui qui l'a émis prévoyait qu'ils seraient remplis et les a laissés en blanc pour deux raisons. D'abord parce qu'un texte est un mécanisme paresseux (ou économique) qui vit sur la plus-value de sens qui est introduite par le destinataire ; et ce n'est qu'en cas d'extrême pinaillerie, d'extrême préoccupation didactique ou d'extrême répression que le texte se complique de redondances et de spécifications ultérieures – jusqu'au cas limite où sont violées les règles conversationnelles normales. Ensuite parce que, au fur et à mesure qu'il passe de la fonction didactique à la fonction esthétique, un texte veut laisser au lecteur l'initiative interprétative, même si en général il désire être interprété avec une marge suffisante d'univocité. Un texte veut que quelqu'un l'aide à fonctionner.

Umberto Eco, *Lector in fabula*, Bernard Grasset, 1985, pp. 65-67.

4

L'acteur-personnage

Parmi les objets qui peuplent le monde diégétique, le personnage occupe incontestablement une place prépondérante. Autour de lui et par rapport à lui s'organise le récit en même temps qu'il est généralement source et support d'une intense activité d'identification. Cela est probablement plus sensible encore au cinéma puisque, à la différence du roman où il n'existe que sous forme de traces typographiques – où il n'est, suivant l'expression de Philippe Hamon (1977), qu'un « être de papier » –, il est présent sous la forme de sa réalité analogique d'images et de sons. Il est un « être iconique » et par là ressemble étrangement aux personnes de la vie réelle. Spectateur, je fais à tout moment l'expérience de sa force d'illusion de réalité.

Car au cinéma, pour exister, le personnage doit littéralement prendre corps, celui du comédien-interprète (du moins avec le support filmo-photographique, le film d'animation ou de synthèse répondant à une autre logique). Constatation banale et évidente, certes, mais qui ne va pas sans conséquences quant à la conduite de l'analyse. Celle-ci ne peut se calquer intégralement sur le modèle littéraire, sinon à supposer que l'apport de l'acteur est négligeable ; sinon à supposer, par exemple, que dans *Les Orgueilleux* (Yves Allégret, 1953) la présence de Gérard Philipe aux côtés de Michèle Morgan est indifférente et qu'aussi bien Louis de Funès aurait pu lui être substitué.

Statut singulier donc du comédien, appelé qu'il est à se fondre dans le monde diégétique et à se confondre avec le personnage qu'il interprète. Il n'est là, en tant que personne, en tant qu'artiste, que pour mieux se faire oublier sitôt qu'il endosse son rôle. A la différence du roman, les protagonistes du récit filmique sont donc des figures hybrides : personnages parce qu'ils s'inscrivent dans la logique du récit, comédiens parce qu'ils appartiennent au monde filmique et à la nécessaire « incarnation » que celui-ci suppose. L'analyse devra alors prendre en compte cette double « polarisation », liée à la spécificité du matériau cinématographique.

Le personnage comme signe

Entre le personnage du scénario (voire du roman, en cas d'adaptation) et celui du film effectivement réalisé, il aura donc fallu passer par le « casting » et choisir les divers interprètes. En ce sens le personnage au cinéma décline une double identité : celle de l'acteur-interprète, celle du personnage. En témoigne du reste l'usage fréquent et l'emploi souvent indifférencié de l'une ou l'autre désignation. C'est donc là une différence majeure et évidente avec le récit écrit.

Cependant ce que je vois sur l'écran, ce n'est pas l'acteur mais une image de lui. Sa réalité perceptible et sensible est faite d'images et de sons. Là se situe une autre différence avec le roman (avec le théâtre aussi, mais pour des raisons exactement inverses puisque sur la scène les comédiens sont bien réels) où il est fait de matière linguistique. Dans la perspective sémio-narratologique cette différence de signifiant apparaît comme fondamentale dès lors qu'il s'agit de décrire le personnage comme un signe. Car c'est bien de cela qu'il s'agit, au moins à un premier niveau.

En tant que signe il appartient à un système, le système textuel, duquel il tire sa valeur. Une comparaison permettra de mieux comprendre les principes de ce processus. Soit une pièce de un franc français : elle est un signe du système monétaire français. Pour cela elle doit d'abord être distinguée des autres pièces du système : son diamètre, son poids, son alliage, son dessin, sa couleur, etc., sont autant de traits distinctifs qui, réunis, forment la face perceptible et signifiante de ce signe. Elle a ensuite une valeur (son sens, son signifié). Et celle-ci se détermine de deux manières simultanément. D'abord par ce contre quoi je peux l'échanger (c'est le principe de la cotation du franc) ; ensuite par rapport aux autres unités du système : elle vaut cinq fois plus que la pièce de vingt centimes et dix fois moins que celle de dix francs. En soi la pièce de un franc n'a pas de valeur, sinon celui de son propre poids de métal.

Le personnage sera donc analysé comme un signe saisi au sein du système textuel, avec sa face signifiante et sa valeur, à quoi il conviendra d'ajouter son fonctionnement narratif. Cela ne signifie pas que ce soit la seule manière « autorisée » d'analyser le personnage : d'autres approches, psychanalytiques, socio-historiques, rhétoriques, etc., sont tout aussi envisageables mais elles répondent à des pertinences autres que narratologiques.

La face signifiante de l'acteur-personnage

Si, dans le roman, le personnage n'a d'autre réalité sensible que les mots par lesquels il est désigné, au cinéma il offre une figure beaucoup plus composite.

Il est d'abord fait d'images mouvantes. C'est la photographie animée du comédien que je vois sur l'écran. Deux conséquences en découlent.

D'une part il est un signe « plein » (à la différence du roman où il est, à son entrée, un morphème vide, une simple étiquette, que la suite du texte devra étoffer) : sitôt qu'il apparaît il se distingue des autres et il est porteur de multiples significations. Ainsi, dans *Rio Bravo*, à peine Dude entre-t-il dans le champ en se glissant derrière la porte entrebâillée du saloon que l'on repère sa tenue de clochard et son regard inquiet. Il détonne par rapport aux autres et affiche ainsi sa marginalité sociale.

D'autre part cette image (ce signifiant visuel) est toujours, sauf cas de stricte répétition, changeante (alors que le nom propre du roman reste au contraire généralement stable). La figure du comédien-personnage, ondoyante, multiple, diverse, ne cesse de se transformer tout en signifiant l'unité du personnage. De plus cette image est toujours fragmentaire : du plan général au très gros plan en passant par le plan rapproché, de dos, de face, de profil ou de trois quart, sous tous les angles et toutes les tailles, le comédien ne cesse d'être « découpé » pour mieux afficher sa permanence. On se trouve donc en présence d'un être paradoxal dont l'unité se construit sur l'instabilité fondamentale de sa face signifiante. Et cela sera de grande conséquence quant à son fonctionnement au sein du système textuel.

Il est ensuite fait de sons. C'est là une dimension qui n'est pas toujours prise en compte et qui pourtant joue un rôle important. La voix, bien sûr, constitue un trait distinctif essentiel (on sait les mésaventures qu'encoururent certaines stars lors du passage du muet au parlant : la révélation de leur voix fut fatale à nombre d'entre elles) : par son timbre, son accent, son élocution ou encore son débit, elle « dit » beaucoup sur le personnage (Chion, 1982 ; Gardies, 1980). Lorsqu'il est lié à son activité, le bruitage aussi contribue fortement à « construire » le personnage. Qu'on se souvienne, par exemple, du son de la canne accompagnant la claudication du mari dans *La Dame de Shangaï* (Orson Welles, 1946) et de son caractère inquiétant ; ou encore du cliquetis vif et allègre que produit en se déplaçant R2D2, le sympathique robot de *La guerre des étoiles* (George Lucas, 1977). La musique, à son tour, peut jouer le rôle d'un signifiant sonore du personnage : l'un des héros de *Il était une fois dans l'Ouest* ne se matérialise-t-il pas d'abord par un air d'harmonica ?

Le personnage du récit filmique est donc fondamentalement un être « iconique » ; en tant que signe, au plan de son signifiant, il n'est qu' images et sons. Cela n'exclut cependant pas la dimension verbale : ce que les autres personnages (voire un narrateur *off*) peuvent dire de lui contribue à élaborer sa figure narrative. De même, certains personnages n'existent qu'à travers les propos tenus sur eux. Mais il s'agit là de données complémentaires ancrées sur la figuration iconique (exception faite, peut-être, de quelques récits extrêmes comme *Son nom de Venise dans Calcutta désert* de Marguerite Duras, 1976, où aucun personnage n'étant visible, c'est une voix *off* commentatrice qui les constitue).

Ces particularités du signifiant filmique détermineront des processus spécifiques dans le fonctionnement sémantique du personnage.

Personnage et système textuel

Le rapport qui unit le signe-personnage au système textuel reste assez largement indépendant du médium. De ce point de vue, même si elles sont élaborées à partir du récit écrit, les propositions méthodologiques de Philippe Hamon (étude citée) sont transférables au cinéma.

L'hypothèse fondatrice est la suivante : si l'on considère le personnage comme un signe, il ne prend son sens qu'au sein du système textuel qui l'accueille (le système textuel en question pouvant être de l'ordre d'un film ou de plusieurs, particulièrement lorsque les mêmes personnages reviennent d'une histoire à l'autre : dans l'œuvre de Truffaut on pourrait isoler la série des Antoine Doinel, par exemple). Le personnage se constitue alors à partir de deux opérations : par attribution, par différence.

❐ *L'axe de l'attribution.* L'opération par attribution, familière parce qu'elle renvoie à la démarche empirique de tout un chacun, est simple dans son principe. Tout au long du texte sont distribuées des caractéristiques se rapportant à un personnage ; il appartient alors à l'analyse de recenser et de réunir ce qui est disséminé, afin de tracer un premier « portrait ». Si le principe reste identique, du roman au film quelques différences se manifestent.

Morphème vide au début (il n'est généralement guère plus qu'un simple nom), le héros du récit écrit s'étoffe véritablement à mesure qu'avance le texte, tandis qu'au cinéma, il entre dans le film aussitôt porteur de ses traits essentiels. A charge pour les données distribuées ultérieurement de réitérer, compléter, corriger, voire contredire ces informations premières. C'est donc le mode de distribution qui change d'un médium à l'autre, non le principe attributif.

Les « qualités » d'un personnage sont éminemment particulières puisqu'elles permettent justement de le singulariser et, en ce sens, elles échappent à un modèle descriptif général. Toutefois on peut circonscrire quelques « domaines » auxquels appartiennent ces qualités.

Il y a d'abord, naturellement, les traits physiques du comédien-interprète, y compris sa voix et sa gestuelle. Deux difficultés interviennent : doit-on distinguer (et si oui, comment ?) ce qui relève en propre de la personne de l'acteur et ce qui est imposé par le rôle qu'il endosse ? Comment, ensuite, déterminer les composantes pertinentes pour l'analyse ? La procédure par différence (seconde opération) sera ici d'un grand secours.

Il y a ensuite les attributs proprement dits du personnage : costumes, coiffure, ainsi que tous les biens et objets dont il s'entoure (la canne et le chapeau de Charlot, la pipe de Maigret ou de M. Hulot, les voitures et engins divers de James Bond, le château de Kane, le fouet de Calamity Jane, etc.) jusqu'à ces moindres détails par lesquels, parfois, se résume un personnage. Je pense ici au mouchoir au parfum de gardénia par lequel s'annonce Joël Cairo dans *Le faucon maltais* (John Huston, 1941).

Il y a encore tous les actes et actions du personnage, interprétables d'ailleurs en termes de traits de caractère. A cela, et dans la même logique, on ajoutera les informations verbales : ce que le personnage dit, aussi bien que les propos tenus sur lui par les autres.

On ne manquera pas non plus de noter ce qui relève éventuellement du travail « rhétorique » du film : le jeu métaphorique ou métonymique de sa désignation – le chat comme figure du policier et, au-delà, du fatum, dans *Le facteur sonne toujours deux fois*, de Tay Garnett (1946), ou l'ombre de l'assassin dans *M le maudit* de Fritz Lang, 1931 –, l'usage particulier des couleurs (la symbolique convenue du blanc et du noir bien sûr, mais aussi, par exemple, l'activité singulière du jaune, bleu et rouge propre à Ferdinand, dans *Pierrot le fou* (1965) de Jean-Luc Godard (voir à ce propos Michel Cieutat, 1993). Les événements sonores liés à un personnage (différents donc des événements sonores qu'il produit) : telle musique associée au surgissement de tel ou tel protagoniste, tel son en relation « arbitraire » avec lui (le crépitement d'un pic-vert chaque fois que Boris prend la parole dans *L'homme qui ment*, d'Alain Robbe-Grillet, 1968, par exemple).

Les informations sur le personnage et ses caractéristiques sont ainsi susceptibles d'emprunter les diverses matières de l'expression filmique ; elles sont distribuées tout au long du récit ; leur champ d'application est varié ; elles proviennent aussi de la mise en relation de plusieurs termes ; leur analyse suivant l'axe de l'attribution vise donc à réunir sous la même figure unitaire ce que le texte fragmente et dissémine, pour constituer une sorte de portrait.

❐ *L'axe de la différence.* L'analyse par différence, moins habituelle, repose sur l'hypothèse de la cohérence du système textuel. Tout comme la pièce de un franc s'évalue par rapport aux autres, tel personnage prend son sens à partir des relations différentielles qu'il entretient avec les autres protagonistes. Ainsi Georges, dans *Casque d'or*, se distingue immédiatement de ses « amis » par le fait qu'il exerce un métier, signifiant par là sa sortie du « milieu ». On peut dire que, sur l'axe du métier, deux groupes de personnages sont constitués : Georges d'un côté, les « mauvais garçons » de l'autre.

L'analyse différentielle, contrairement au principe d'attribution, ne se fonde pas sur les traits propres à tel ou tel personnage, mais établit des critères en fonction desquels se ventilent les différents protagonistes d'un même récit. Le personnage se caractérise alors par un « paquet » de traits différentiels.

Philippe Hamon distingue la « qualification différentielle ». On peut, par exemple, classer les protagonistes sur l'axe de la beauté, de la richesse, du sexe, de l'âge, de la classe sociale, du pouvoir, de la force, etc. On peut aussi envisager une « distribution différentielle ». Le classement peut retenir, par exemple, le critère du moment d'apparition : quels personnages apparaissent au début, à la fin ou dans les moments marqués du récit ? Ou celui de la fréquence : qui apparaît plusieurs fois, qui n'apparaît qu'une fois ? L'« autonomie différentielle » pourra être examinée aussi. Quels personnages apparaissent toujours en groupe ? Lesquels indifféremment seuls ou associés à d'autres ? Une « localisation différentielle » se révèle aussi fort productrice. Pour tel ou tel lieu quels sont les personnages présents ? Quels sont les protagonistes « attachés » à un lieu ? Ceux qui circulent d'un espace à l'autre ? On peut encore prendre en compte une « fonctionnalité différentielle ». Les personnages reçoivent ou non des informations, s'adjoignent ou non des adjuvants, sont constitués par un faire ou par un dire, sont porteurs d'un programme actionnel ou non, etc. On le voit, l'analyse différentielle procède par traits distinctifs sur la base desquels sont classés, à chaque fois, les divers protagonistes. Il est alors possible, pour un personnage donné, de faire le bilan de ses caractéristiques différentielles, qui pourront s'ajouter à l'ensemble de ses attributs. Une difficulté néanmoins demeure : il appartient à l'analyste de déterminer quels sont les axes et critères les plus rentables en fonction de son projet.

On l'aura remarqué, ce fonctionnement du personnage-signe au sein du système textuel présente un caractère d'assez grande généralité : que l'on soit en présence d'un roman ou d'un film n'a pas d'incidence majeure. C'est le personnage en tant qu'instance du récit qui est envisagé, indépendamment des configurations particulières qu'il peut revêtir selon le médium. Reste donc à prendre en compte, maintenant, la dimension spécifique du personnage filmique.

La figure actorielle

Commençons par nous interroger sur son statut. Par commodité nous l'avons défini comme un être hybride, à double polarisation : à la fois « personnage » et « comédien », comme s'il résultait de l'addition des deux. Si tel était le cas, la démarche analytique consisterait à décrire d'un côté le personnage en tant qu'instance du récit, de l'autre le comédien en tant que personne, puis à réunir les deux. Or il est à la fois cela et bien autre chose.

Il est la résultante de plusieurs facteurs, et pour cette raison l'on conviendra de ne l'appeler ni personnage (propre au récit), ni comédien (propre au monde artistique), mais « figure actorielle », propre donc au récit « filmique », dont la réalité perceptible est constituée par le signifiant iconique tel que défini précédemment et la valeur par le jeu relationnel de divers facteurs ainsi que par son fonctionnement au sein du film.

Une figure complexe

En fait cette figure résulte de la combinaison non pas de deux mais de quatre composants : l'actant, le rôle, le personnage, le comédien-interprète, chacun relevant d'un système propre.

❒ *L'actant.* La figure actorielle est d'abord une force agissante au sein du monde diégétique, un facteur de la dynamique du récit. En ce sens elle peut se définir par la place qu'elle occupe dans le schéma actantiel. Qu'elle soit sujet, objet, destinateur, destinataire, adjuvant ou opposant, elle se caractérise par sa sphère d'action et le rapport qu'elle entretient avec les autres forces (étant bien entendu qu'une même figure peut occuper simultanément ou successivement plusieurs positions actantielles). En soi ce principe n'a rien de spécifiquement cinématographique (le roman le connaît aussi), cependant il permet de rendre compte de la fonctionnalité des figures du récit, d'établir entre elles, au besoin, une sorte de hiérarchie : le héros, par exemple, ne doit-il pas être nécessairement « sujet » ou « opposant » (anti-sujet, en réalité) ?

Mais surtout, au cinéma, il aide à distinguer parmi la foule des figures humaines. Toutes ne sont pas nécessairement des « figures actorielles ». En premier lieu la cohorte des figurants. A titre individuel, ils n'ont aucune valeur actantielle : ce sont des « non-actants » car ils ne constituent pas une force agissante du récit. En revanche, à titre collectif ils peuvent jouer ce rôle (les troupes qui débarquent sur la côte normande dans *Le jour le plus long*, de Darryl Zanuk, Kenn Annakin, Andrew Marton et Gerd Oswald, 1963, ne sont évidemment pas dépourvues de fonctionnalité), mais il s'agit alors de la foule en tant qu'entité ; chaque « figurant », lui, est engagé et payé par la production sur la base de son statut de « non-actant ».

« Non-actants » encore sont généralement les figures humaines du documentaire. Plus précisément, il y aurait lieu de distinguer (et la référence au schéma actantiel peut y aider) entre celles qui ne se constituent pas en force du récit et celles qui jouent sur une certaine ambiguïté, provoquant le flottement de statut évoqué au chapitre précédent. De façon similaire la fonction actantielle permettrait probablement de préciser ce que l'on doit entendre par l'expression tout à fait usuelle de « second rôle ». Il y a fort à parier que ce n'est pas parmi les « sujets » qu'on les trouverait.

Surtout, la fonction actantielle est susceptible d'avoir une incidence sur le mode de représentation de la figure actorielle. Dans nombre de films affichant un grand souci de lisibilité, le « sujet », par exemple, sera nettement distingué de son « opposant » par le costume (voir le trench-coat du thriller américain ou la symbolique vestimentaire du western), par la gestuelle, par la maîtrise de la parole, par le cadrage, par l'éclairage, etc.

Nombre de traits constitutifs de la figure actorielle trouvent leur origine dans la fonction actantielle, en même temps qu'ils la désignent.

❐ *Le rôle.* En raison probablement d'une longue tradition théâtrale, le « rôle », quant à sa définition, ne se laisse pas appréhender facilement. Toutefois deux expressions usuelles aideront à sa saisie : « tenir un rôle », « rôle de composition ». Pour la première, le verbe « tenir » ne désigne-t-il pas le rôle comme une sorte de réalité concrète qui aurait une existence autonome et extérieure au comédien ? Ce que confirme la seconde expression où la nécessité qu'a l'acteur de « composer » suppose que sa prestation s'accomplira en conformité avec un modèle pré-existant. Le rôle serait donc une sorte de « patron », comme ceux qu'utilisent les tailleurs pour confectionner leurs costumes.

En ce sens il fournit un ensemble de règles et de contraintes. Le rôle du traître implique du comédien qu'il endosse certains traits physiques, une mimique, une gestuelle, un comportement particuliers. Pour cela même il est aussi une sorte d'horizon d'attente pour le spectateur. Le comédien devra tenir (ou composer) son rôle en fonction de l'image attendue du traître, qu'il veuille répondre à cette attente ou qu'il désire au contraire la surprendre.

Nourri par une longue tradition théâtrale, un véritable répertoire (en fait, un véritable paradigme) des rôles est à la disposition du comédien, par ailleurs articulé sur les genres. Le valet de la comédie classique ne se confond pas avec celui de la tragédie : ce dernier ne s'appelle-t-il pas un confident ? La figure du traître, évoquée il y a un instant, ne comporte pas les mêmes particularités selon qu'elle relève du film réaliste-socialiste ou du théâtre de boulevard. En ce sens le rôle constituerait une sorte d'unité minimale du genre, et c'est en grande partie de lui qu'il tire les règles et contraintes qu'il impose à son tour.

Entité culturelle, pré-existante à l'œuvre, il apparaît comme une figure relativement stable, susceptible néanmoins d'accepter des variations mineures (de ce point de vue le rôle serait une « réplique » au sens où le définit Umberto Eco, 1992). Raison pour laquelle le rôle de Tarzan pourra être interprété par Johnny Weissmuller aussi bien que par Buster Crabbe. Dans la mesure où les variantes que chacun introduit ne touchent pas aux traits définitoires du rôle, leur prestation est sémiotiquement équivalente ; ce qui n'empêche pas chacun d'entre nous de préférer Weissmuller ou Crabbe !

Paradoxalement le rôle, en dépit des contraintes qu'il impose, est donc un facteur de création : les règles étant respectées, la prestation du comédien est libre. Aussi la figure actorielle de Maigret, tout en se nourrissant du même modèle, pourra-t-elle prendre des visages et des comportements aussi différents que ceux de Jean Gabin, Gino Cervi, Jean Richard ou Bruno Crémer.

◻ *Le personnage.* Mais peut-être sera-t-on étonné qu'à propos de Tarzan ou Maigret il n'ait été question que de rôle ; ne sont-ils pas aussi (et surtout) des personnages ? Certes l'homme-singe (pour ne se référer qu'au premier) se définit aussi bien comme rôle que comme personnage, signe donc d'une interférence entre les deux ; toutefois on ne saurait en conclure à la synonymie des deux termes.

Si je parle de Tarzan en faisant référence à cette figure mythique, indépendante du récit qui l'actualise et repérable par un ensemble de traits caractéristiques (force physique, puissante musculature, extrême agilité, ruse et honnêteté, pagne et coutelas), c'est au rôle que je fais allusion, dont le comédien-interprète devra, pour l'incarner, manifester les composantes minimales ; mais si, faisant allusion à tel récit, je parle des aventures auxquelles se trouve mêlé l'homme-singe, des obstacles qu'il a dû vaincre, du temps nécessaire à l'épreuve, des lieux où se déroulent ses exploits, c'est au personnage que je me réfère.

Car le propre du personnage c'est d'appartenir au monde diégétique que propose le récit et de s'y définir, comme on l'a vu, par les rapports qu'il entretient avec tous les éléments qui peuplent ce monde. Il est naturellement l'une des sources nourricières de la figure actorielle, à laquelle il donne ce que, d'une certaine manière, on pourrait appeler son « essence ».

◻ *Le comédien-interprète.* C'est bien entendu au comédien de lui donner « corps ». Mais à cette seule dimension physique ne se limite pas l'apport de l'interprète. Certes elle est nécessaire, ne serait-ce qu'au niveau profilmique pour pouvoir impressionner la pellicule, mais elle s'inscrit elle-même dans un processus d'une autre ampleur, car le comédien, du moins le comédien professionnel, participe d'une autre dimension. Il participe, comme l'a fort bien montré Edgar Morin (1972), du mythe, et s'ancre dans l'imaginaire social. Lorsque Gérard Depardieu, Jeanne Moreau, Clark Gable ou Marylin Monroe entrent dans un film pour y jouer un personnage précis, ils sont à la fois ce personnage et tous les autres qu'ils ont interprétés antérieurement. Que l'on songe, par exemple, à l'extrême difficulté qu'eut Jean-Claude Drouot à se déprendre de l'image de Thierry la Fronde. L'acteur, en ce sens, est le vecteur d'une forte activité d'intertextualité. En outre, dans la logique du star-system, son image (et le spectateur ne connaît de lui qu'une image, au sens propre comme au sens figuré) est nourrie de tous les discours que la presse spécialisée ou le grand public tient sur lui. Si la personne physique du comédien intervient au niveau du profilmique (il est physiquement présent sur le plateau de tournage), le spectateur ne connaît de lui qu'une image, celle du signifiant filmique mais - aussi celle secrétée par l'activité d'intertextualité aussi bien que par l'imaginaire social. C'est de cela dont il nourrit la figure actorielle.

Celle-ci donc, si elle se manifeste sensiblement par un signifiant de nature verbo-iconique, résulte, au plan de son signifié, d'un processus de sémiotisation complexe. Actant, rôle, personnage, comédien, chacun inscrit dans son propre système, sont autant de composantes qui, à des degrés divers et à partir de leur combinaison, contribuent à l'élaboration sémantique de la figure actorielle, elle-même fonctionnant au sein du système filmique ; processus qui pourrait se résumer ainsi :

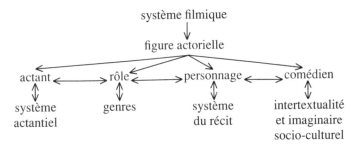

Le principe de la plus-value

Précisément c'est le fonctionnement de la figure actorielle au sein du système filmique qu'il convient d'examiner maintenant, afin d'en saisir la dynamique.

Celle-ci est d'abord liée aux caractéristiques du signifiant : « la capacité qu'a le cinéma de diviser la figure humaine en "morceaux" et de disposer ces segments en une chaîne qui se déroule dans le temps transforme la figure extérieure de l'homme en texte narratif » ; selon Iouri Lotman (1977), la division en unités discrètes et leur distribution sur l'axe syntagmatique sont donc les deux conditions nécessaires à cette dynamique. En effet elle permet l'activité combinatoire du signifiant actoriel avec d'autres composantes narratives. Selon deux grands régimes s'effectue cette combinatoire : au sein du plan, d'un plan à l'autre.

A l'exception du (très) gros plan (origine possible du statut singulier qui lui est depuis toujours reconnu), l'image de l'acteur n'occupe jamais seule la surface de l'écran ; elle la partage avec d'autres composantes diégé-tiques. A partir de cette co-présence s'établit un jeu relationnel qui tisse entre les éléments des rapports (de redondance, de complémentarité aussi bien que de contradiction) dont l'effet de sens global est supérieur à la somme des effets de sens particuliers.

Pour prendre un exemple simple, soit l'image d'un homme cheminant, solitaire, au milieu d'un paysage désertique. Un tel plan s'organise autour de deux axes principaux : la marche de l'homme (elle-même décompo-sable en unités plus petites), le paysage (lui-même décomposable en unités dénotatives du désertique). Du fait de cette co-présence, l'hostilité qui émane du paysage désolé est rapportée à l'avancée de l'homme ; celle-ci paraît d'autant plus pénible qu'elle entre en conflit avec une force contraire. De cet échange entre les deux composantes naît une plus-value sémantique qui est aussitôt portée au crédit de la figure actorielle. Ce n'est donc pas seulement le jeu du comédien qui produit l'impression de péni-bilité vécue par le personnage, mais la relation des diverses composantes du plan.

Du même principe participe la relation de plan à plan. C'est du reste un phénomène connu depuis longtemps, depuis l'expérience réalisée par Koulechov. La voici, telle que la rapporte Iouri Lotman (*op. cit*) :

> Dès 1918 il joignit une même photo de l'acteur Mozjoukhine à plusieurs plans successifs, mais d'un contenu émotionnel différent (un enfant qui joue, un cercueil, etc.). Les spectateurs admirèrent unanimement la richesse de la mimique de l'acteur, sans soupçonner que l'expression de son visage n'avait pas changé, et que seule avait changé leur réaction à cet effet de montage.

A l'évidence, l'expressivité prêtée à l'acteur ne lui est pas imputable puisque c'est toujours le même plan qui est repris. Elle provient de la liai-son des plans. Ainsi la prestation du comédien doit moins à son propre jeu qu'à un effet textuel. Toutefois, de cette expérience, il ne faut pas conclure trop vite et penser qu'il suffit de juxtaposer mécaniquement deux plans pour obtenir un tel effet. Eisenstein (1976) a montré que ces effets de jux-taposition, s'ils étaient réels, offraient néanmoins une réelle complexité.

Pour qu'entre deux objets différents (saisis simultanément ou successivement) un échange ait lieu, il faut qu'existe entre eux au moins un élément commun.

Une brève analyse de *La bête humaine* (Jean Renoir, 1938) rendra mieux compte de ce processus. On sait qu'avec ce film le « mythe Gabin », celui du héros populaire à l'énergie virile forgée au contact des luttes quotidiennes, trouve là son expression la plus complète. Manifestement la locomotive qu'il conduit n'est pas étrangère à cet essor du mythique. En effet, entre la locomotive et son mécanicien s'établit une véritable osmose. Celle-ci est d'abord inscrite dans la diégèse : le film raconte l'histoire d'une passion entre l'homme et sa machine ; elle est ensuite réitérée par le montage : les plans montrant Gabin et la locomotive sont, le plus souvent, montés en alternance, ce qui permet tout à la fois de les individualiser et de les réunir en une même figure. La dimension mythique de la figure actorielle prend alors appui sur un élément que l'homme et la machine ont en commun : celui de la force, physique dans un cas, mécanique dans l'autre.

Prise isolément, la machine est signe de vitesse et de puissance ; elle est une force aveugle qu'il faut maîtriser. Jean Gabin, lui, trapu, le front balayé par le vent, le visage marqué par la fatigue et l'opiniâtreté, apparaît comme un lutteur. A la puissance mécanique de l'un correspond la virilité (selon les codes culturels admis) de l'autre. Sur cette force qu'ils ont en commun s'opère l'osmose. Dès lors, aux traits spécifiques de l'image de Gabin s'ajoutent les connotations de force propres à la locomotive tandis que, réciproquement, celle-ci s'humanise. Sous la forme du tableau suivant peut se résumer cette démarche :

locomotive	Gabin	niveau dénotatif
force aveugle	force humaine	niveau connotatif
		échange
humanisation	force^2	plus-value

Que la relation s'instaure au sein du même plan ou dans la succession syntagmatique de deux ou plusieurs plans (à quoi il conviendrait d'ajouter encore les relations de simultanéité des différentes matières de l'expression), la figure actorielle bénéficie donc d'une plus-value sémantique qui déborde la somme des significations partielles.

Ainsi l'actant, le rôle, le personnage et le comédien, par leur interrelation, élaborent la figure actorielle ; celle-ci, en tant que signe verbo-iconique, participe alors de l'activité textuelle et d'un processus complexe de sémiotisation grâce auxquels elle s'enrichit de sens multiples. Dans cette perspective, on voit combien il serait erroné d'analyser le personnage du film comme un simple personnage : la spécificité du médium cinématographique fait de la figure actorielle une sorte de nœud de significations, source probable de la dimension véritablement mythique du comédien. Assurément si un film doit beaucoup à ses interprètes, ceux-ci lui sont au moins autant redevables.

TEXTES

■ Le personnage : approche sémiologique

Considérant que la réalité première du personnage littéraire est sa qualité d'« être de papier », Philippe Hamon propose de l'analyser comme un signe fonctionnant au sein du système qu'est le récit.

Morphème « vide » à l'origine (il n'a de sens, il n'a de référence que contextuelle), il ne deviendra « plein » qu'à la dernière page du texte, une fois terminées les diverses transformations dont il aura été le support et l'agent. Mais le signifié du personnage, ou sa « valeur », pour reprendre un terme saussurien, ne se constitue pas seulement par *répétition* (récurrence de marques, de substituts, de portraits, de leitmotive) ou par *accumulation* et *transformation* (d'un moins déterminé à un plus déterminé), mais aussi par *opposition*, par relation vis-à-vis des autres personnages de l'énoncé. Cette relation, notons-le, se modifiera d'une séquence à l'autre, jouera aussi bien sur le plan du signifiant que sur le plan du signifié (un personnage *sexué* face à un personnage *asexué*), selon des rapports de ressemblance ou de différence. Le problème crucial de l'analyse sera donc de repérer, de trier, et de classer les axes sémantiques fondamentaux pertinents (*le sexe* par exemple) qui permettent la structuration de l'étiquette sémantique de chaque personnage (étiquette, encore une fois instable et perpétuellement réajustable par les transformations mêmes du récit), comme celle de l'ensemble du système.

Philippe Hamon, « Pour un statut sémiologique du personnage », in : *Poétique du récit*, « Points », Seuil, 1977, pp. 128-129.

■ L'acteur de cinéma : une figure complexe

S'interrogeant sur « le problème de l'acteur au cinéma », Iouri Lotman établit un parallèle avec le comédien de théâtre pour mieux cerner la spécificité de l'acteur dans le film.

Historiquement, l'art cinématographique s'est constitué au carrefour de deux traditions : la première est celle du film d'actualités non artistique, la seconde, celle du théâtre [...].

Le rapport entre l'homme et les choses qui l'environnent, entre le personnage et le fond, a un caractère profondément différent dans un plan d'actualités et sur une scène. Dans un film d'actualités, le degré de réalité d'un homme et des choses qui l'environnent est le même. L'homme est comme mis au même niveau que les autres objets photographiés. La signification peut être répartie d'une manière égale entre tous les objets, ou même se concentrer non pas sur les gens, mais sur les objets. Ainsi, par exemple, dans le célèbre film des frères Lumière, *L'arrivée d'un train en gare de La Ciotat*, le porteur des significations et, si on peut s'exprimer ainsi, « le personnage principal », c'est le train. Les gens traversent l'image, servant de fond à l'événement. Ceci tient à deux faits : la mobilité des choses et leur authenticité ; on leur attribue la même qualité qu'aux gens.

Au théâtre, les personnages et le monde qui les entoure (les décors, les accessoires) constituent deux niveaux de communication qui n'ont pas du tout le même degré de convention, ni la même charge sémantique. Les gens et les choses ont sur scène une liberté de déplacement radicalement différente. Ce n'est pas un hasard si dans le film des frères Lumière, *Bébé mange sa soupe*, c'est le mouvement des arbres qui a le plus frappé les spectateurs. Ceci traduit la force d'inertie exercée par le spectacle théâtral : la mobilité des personnages était habituelle et ne provoquait aucun étonnement. L'attention a été attirée par le caractère insolite d'un fond qui se déplaçait et auquel on continuait d'appliquer les normes du décor théâtral.

Cette mise en évidence de l'homme sur la scène fait de lui le principal porteur du message. [...]

La capacité qu'a le cinéma de diviser la figure humaine en « morceaux » et de disposer ces segments en une chaîne qui se déroule dans le temps transforme la figure extérieure de l'homme en texte narratif, ce qui se fait en littérature et n'est absolument pas possible au théâtre. Si la mimique de l'acteur nous donne un type de narration continue, du même type, sous ce rapport, que la narration théâtrale, le récit du cinéaste, en revanche, se construit selon le type de la narration littéraire : les éléments discrets se réunissent en une micro-chaîne. Une autre particularité encore apparente cet aspect de « l'homme à l'écran » à « l'homme dans le roman » et le distingue de « l'homme à la scène ». La possibilité de retenir l'attention sur des détails de l'apparence extérieure – par un gros plan ou en faisant durer l'image sur l'écran (en littérature l'analogue sera une description détaillée ou toute autre mise en relief d'ordre sémantique) –, mais aussi en répétant ces détails, est une possibilité qui n'existe ni sur scène, ni en peinture, et qui donne aux images cinématographiques des parties du corps humain une signification métaphorique. Nous avons déjà parlé des yeux dans *La Grève* d'Eisenstein, qui deviennent la conscience de l'humanité. Romm leur assigne la même fonction dans *Le fascisme ordinaire*, en agrandissant l'une après l'autre les photos d'identité des victimes des camps d'extermination fascistes, et en montrant sur l'écran des yeux, des yeux et encore des yeux...

[...] Dans un film, le jeu d'un acteur représente sur le plan sémiotique un message codé à trois niveaux : 1. celui du réalisateur ; 2. celui du comportement quotidien ; 3. celui du jeu de l'acteur.

Iouri Lotman, *Esthétique et sémiotique du cinéma*,
éditions sociales, 1977, pp. 148-149-150.

5

L'espace

Pour l'opinion commune, aussi bien que pour les analyses plus savantes, d'inspiration structurale notamment, le récit est d'abord perçu comme une suite organisée d'événements et d'actions accomplis par un ensemble de personnages. L'espace (mais aussi le temps) apparaît alors comme un simple circonstant, comme une sorte d'auxiliaire subordonné à la fonction noble qu'est la fonction actionnelle. Or cette hiérarchie implicite ne peut avoir réellement cours au cinéma. Art de la représentation, son langage est de nature spatiale : l'image mouvante est avant tout organisation mobile d'un espace bi-dimensionnel. Sans espace, point de cinéma. En ce sens il est premier et non point subordonné. Néanmoins, sitôt qu'un film raconte, les lois du récit tendent à prendre le pas et à porter généralement au premier plan l'ordre actionnel. Cela explique peut-être la minoration dont l'espace est l'objet, même au cinéma.

Cela désigne aussi le lieu d'une difficulté prévisible : contraintes langagières faisant de l'espace une donnée première, contraintes narratives accordant la primauté à l'action, le récit filmique doit constamment négocier avec elles. Aussi l'étude ne pourra-t-elle saisir la fonction narrative de l'espace sans prendre en compte ses caractéristiques cinématographiques.

Les divers niveaux de l'espace au cinéma

Aller au cinéma, comme on l'a vu au cours du premier chapitre, c'est d'abord « prendre place », s'inscrire dans un espace aménagé à cet effet, celui de la salle de projection, et plus généralement s'inscrire au sein du dispositif cinématographique. Il y a donc, préalablement au surgissement des premiers sons et images, mais aussi nécessaire à leur surgissement, un espace propre au cinéma, distinct de l'espace proprement filmique mais ayant des conséquences sur lui.

Ce dernier, quant à lui, se manifeste à deux niveaux : diégétique et narratif. Dès lors que le cinéma, grâce à l'image mouvante, donne à voir le monde diégétique, il ne peut le faire sans donner à voir, en même temps, l'espace constitutif de ce monde. Cependant ce dernier ne saurait se réduire à la seule dimension visible car sur le visible (et l'audible) qui déjà représente l'espace, s'articule nécessairement le non visible pour sa construction. Au sein du film l'espace est aussi susceptible d'intervenir dans la dynamique du récit. Il peut en constituer, tout comme les personnages, l'une des forces actives. Il a donc une fonctionnalité narrative dont il conviendra de décrire les principales figures.

Symétriquement à l'espace proprement cinématographique, situé en amont du filmique, un autre type d'espace intervient en aval, celui dans lequel, au cours de la projection-réception, se trouve impliqué le spectateur. Espace assez singulier et complexe où se joue son investissement cognitif et affectif ; pour cette raison nous l'appellerons espace spectatoriel.

De ces quatre niveaux d'espace, le premier a déjà fait l'objet de commentaires, nous n'en reprendrons donc ici que les caractéristiques majeures. Le dernier, lui, sera présent, de manière directe aussi bien qu'indirecte, tout au long de la deuxième partie. C'est donc à l'espace proprement filmique (diégétique et narratif) que ce chapitre, pour l'essentiel, sera consacré.

L'espace cinématographique : rappels

La salle de projection et, plus largement, le dispositif cinématographique s'offrent comme un espace parfaitement agencé et structuré dont la fonction est de produire une transformation, celle du sujet social (celui qui fait l'épreuve de la réalité, qui s'acquitte du prix d'entrée) en un sujet spectatoriel apte à participer activement à la réception du film. Perte relative de la motricité et gain d'acuité perceptive sont les deux premières conséquences de la contrainte véritablement physique que l'espace de la salle (sièges en quinconce, frontalité de l'écran, station assise, obscurité) exerce sur mon corps et mes sens. Avec le surgissement des premières images, construites en fonction des lois optiques et de la perspective, c'est proprement mon regard qui est tout à la fois élaboré et orienté.

La conséquence en est importante puisque, de cette manière, l'espace diégétique semble s'ordonner par rapport à ma vision : cet objet sur l'écran est à *ma* gauche, tel autre à *ma* droite, ce troisième *près de moi*. Par là, je suis véritablement impliqué dans le monde diégétique : il m'est comme destiné et je me l'approprie imaginairement.

De plus, et c'est là encore une conséquence de grande importance, une sorte de structure élémentaire de l'espace se met en place, fondée sur une organisation à trois termes : *ici* / *là* / *ailleurs*.

L'*ici* correspond à l'espace du champ visible (et qui, en raison des lois optiques et de la perspective, prend la forme d'une pyramide dont la base est formée par l'écran, le sommet par le point de fuite principal), le *là* renvoie au non visible contigu au champ et comme dans son prolongement homogène. Quant à l'*ailleurs,* il est non visible et non continu : c'est un autre espace (diégétique ou non diégétique) qui répond à des caractéristiques différentes de celles que forme le couple *ici* / *là*. Ce sera, pour prendre un exemple simple, cet espace lointain que deux personnages se remémorent avec nostalgie au cours de leur conversation, et qu'au besoin le spectateur aura vu au cours d'une séquence antérieure. Dans la construction de l'espace diégétique (ainsi que dans le fonctionnement du discours filmique), cette structure tripartite jouera un rôle essentiel. Elle rend compte de cette donnée proprement filmique qui veut qu'autour du champ et au-delà du cadre l'espace, bien que non visible, soit encore présent et toujours susceptible de s'articuler sur celui qui, ici et maintenant, se donne à voir.

L'espace diégétique

Si dans le roman cet espace-là est « dit », raconté ou décrit, au cinéma il est montré, représenté sur l'écran, en s'adjoignant au besoin une figuration sonore (que l'on songe, par exemple, au classique effet d'écho qui semble creuser l'espace visible et en reculer les limites) ainsi que l'évocation ou la description verbale. C'est donc à sa représentation que l'on s'attachera d'abord.

❐ **La représentation.** *Le salaire de la peur* (G.-H. Clouzot, 1953) s'ouvre sur un lent panoramique qui embrasse la longue rue centrale d'une bourgade. La chaussée de terre battue est défoncée avec, ici et là, quelques flaques d'eau croupissante. Une population cosmopolite (blancs, noirs et mulâtres) vaque à diverses occupations : juché sur son âne un homme remonte la rue, bientôt doublé par une jeep chargée de militaires ; sur la gauche entre un marchand de glaces ambulant qui, en espagnol, appelle à la clientèle. De part et d'autre de la rue, on remarque des bâtisses à l'alignement incertain et de caractère vaguement tropical. Sous les cannisses d'une terrasse de café, un groupe d'hommes paraît écrasé par la chaleur. Manifestement ce début nous dit : « nous sommes quelque part en Amérique latine ».

De la représentation d'un ensemble d'objets je passe donc au signifié global « espace latino-américain ». Est-ce simplement parce que je reconnais, à partir de cette sélection d'objets, l'Amérique latine ? Encore faudrait-il, pour la reconnaître, la connaître déjà. C'est en fait un processus hypothético-déductif qui fonde cette interprétation et qui se réalise en deux étapes.

C'est d'abord au regroupement de divers signes que je procède : l'âne comme moyen de transport, la chaussée non asphaltée et défoncée, les vêtements des gens dans la rue me disent la pauvreté de ce pays. Un ensemble de traits visuels renvoie donc au sème « pauvreté ». De la même manière, d'autres signes ont pour signifié commun la chaleur humide (transpiration des personnages, protection contre le soleil, flaques d'eau dans la rue, marchand de glaces, etc.). D'autres sèmes encore sont repérables : militarisation du pays, hispanisation, métissage de la population, chômage endémique, oisiveté, etc. C'est ensuite en regroupant en « paquet » ces divers sèmes que, conformément à ce que je sais (conformément à mon « encyclopédie personnelle », comme dirait Umberto Eco, 1985), je déduis qu'il s'agit de l'Amérique latine.

Cela ne signifie pas pour autant qu'il s'agit de la réalité latino-américaine (j'en veux pour preuve les quelques maisons parfaitement camarguaises qui bordent la rue et que le spectateur ne remarque généralement pas). Il s'agit d'une représentation de l'espace latino-américain conforme à l'image que je me fais de lui. Dans cette perspective l'usage si fréquent que le cinéma fait du décor de studio prend tout son sens. Certes, comme cela a été avancé bien souvent, des réalités économiques et techniques expliquent cette pratique, mais il est d'autres raisons. Le décor permet en fait de littéralement construire l'espace à représenter ; non seulement de le construire matériellement mais encore et surtout de le construire conventionnellement et sémantiquement. Il s'agit alors, hormis la question esthétique (que l'on songe, par exemple, au rôle du décor dans l'expressionnisme allemand des années 30), de sélectionner, retenir et introduire dans les éléments du décor les « signes » qui représenteront l'espace, conformément à l'image culturellement attendue. C'est probablement pour cette raison que le décor « vieillit » si vite dans les films : ce n'est pas lui qui change, mais nos représentations mentales.

L'effet de réalité ne provient donc pas de l'adéquation entre l'image filmo-photographique et l'espace physique réel, mais de l'adéquation entre la figuration filmique et la représentation imaginaire que j'ai de l'espace de référence.

Pour cette raison Clouzot pourra construire, un peu plus tard dans le film, un décor « naturel » au moindre coût. Pour obtenir un « vrai » paysage latino-américain, il lui suffira de se transporter dans les gorges du Gardon et de planter au milieu du paysage de garrigue (sec et semi-désertique) deux cactus et deux ou trois (faux) palmiers. Reste encore, bien entendu, à cadrer correctement ces végétaux « typiques » : bien visibles, mais pas trop pour que leur présence ait l'air naturelle.

La représentation de l'espace diégétique n'est donc pas une affaire de « captation » de l'espace physique réel, mais une affaire de sens : il s'agit non de « représenter », mais de « signifier » l'espace de référence.

C'est qu'en réalité je ne peux pas filmer l'espace ; je ne peux filmer que des objets peuplant cet espace ; je ne peux filmer que des lieux.

❑ *Une distinction nécessaire : espace / lieu.* Bien que dans l'usage courant ces deux termes soient généralement perçus comme synonymes, il importe de les distinguer. Pour cela, sans ouvrir une interrogation sur l'« essence » de l'espace (c'est le rôle de la philosophie), nous procéderons par analogie. De la même manière qu'il est d'usage en linguistique (depuis Ferdinand de Saussure) de distinguer la parole de la langue (l'une est actualisée, l'autre virtuelle), on postulera que les lieux sont l'actualisation de l'espace toujours virtuel. Cela implique de considérer ce dernier (tout comme la langue) comme un système qui, à ce titre, doit être construit par l'analyse ou la théorie. Et c'est précisément à partir des lieux (comme manifestation, comme actualisation) que l'on peut accéder au système qu'est l'espace.

En ce sens, l'espace latino-américain, pas plus du reste que l'espace européen ou africain, n'a de réalité physique : il est le résultat d'une construction, celle des géographes, des économistes, des démographes, des politologues, aussi bien, mais à un autre niveau, que celle des agences de tourisme, des publicitaires, de la presse ou de la littérature. De ce point de vue, ce que montre le film ce sont des lieux dont les sèmes constitutifs visent à « représenter » l'espace toujours virtuel.

Cependant, s'il ne peut à proprement parler le montrer, le cinéma doit en revanche construire l'espace diégétique.

La construction

L'espace ne saurait se réduire à la somme des fragments visibles et audibles ; il résulte d'un processus complexe qui implique le sujet spectateur tout en travaillant aux niveaux du plan et de la séquence.

❐ **Le plan.** Sur la base d'une réalité spatiale première repose cette construction : la bi-dimensionnalité de la surface de l'écran, aussitôt convertie, en raison des lois optiques et du code de la perspective, en un espace virtuel tridimensionnel. C'est ce principe qui structure le plan et antérieurement le photogramme. Il pose les conditions nécessaires au classique problème de la composition de l'image.

Cette dimension plastique, au demeurant, a fait l'objet depuis longtemps d'un grand nombre d'analyses et de réflexions ; c'est probablement le terrain spatial qui a été le plus tôt et le plus régulièrement travaillé. L'influence de la tradition picturale et, plus proche, celle de la photographie étaient déjà présentes dans les premières « vues » des frères Lumière. Ultérieurement, esthéticiens et cinéastes n'ont eu de cesse d'interroger cette question. Eisenstein (1976) en fut l'un des plus constants et incisifs théoriciens. Plus récemment, Eric Rohmer (1977), à l'occasion d'une thèse universitaire, analyse notamment ce qu'il appelle l'« espace pictural » (voir l'extrait à la fin de ce chapitre). Ce sont alors quelques problèmes classiques de composition plastique qui sont envisagés : équilibre/déséquilibre, symétrie/asymétrie, dominantes chromatiques, lignes de forces, verticalité/horizontalité/oblique, points forts du cadre, répartition des masses, travail sur les différents plans de profondeur, sources de lumière, etc. Toute interrogation sur les rapports entre la peinture et le cinéma rencontre cette question et la bibliographie de fin de volume fournira les premiers jalons à qui souhaite s'avancer sur ce terrain.

Cependant, en raison du caractère mouvant de l'image et de la mise en relation que le montage établit entre les plans, les problèmes de composition plastique au cinéma s'articulent autour d'une question centrale : celle du double mouvement propre à la structuration de l'image filmique, centrifuge ou centripète.

La réflexion sur ce sujet n'est pas neuve ; André Bazin déjà en avait établi les données essentielles dans *Qu'est-ce que le cinéma ?* (1981). Le cadre (du moins depuis que le cinéma connaît le montage) est fondamentalement ambivalent : à la fois délimitation latérale du visible et ouverture sur le hors-champ environnant. L'image oscille alors entre deux tendances : celle du centrement sur elle-même (elle est comme auto-suffisante), celle de l'ouverture sur son « Dehors » (Belloi, 1992), qu'il soit visuel ou sonore. Par exemple, tel plan composé suivant l'axe de la diagonale ne prendra son sens véritable qu'au plan suivant, organisé, lui, selon une diagonale inverse. En ce sens la composition plastique d'un plan donné, bien qu'elle ait sa propre valeur, s'articule toujours sur l'au-delà de cette unité-plan et doit être envisagée dans une perspective relationnelle.

❒ *La séquence.* C'est précisément au niveau de cette unité narrative supérieure, la séquence (que l'on définira très simplement comme un « moment » du récit ayant son propre sens et composé de plusieurs plans), que s'élabore pleinement l'espace diégétique. Cela essentiellement sur la base d'une double relation, le plus souvent simultanée : le champ et le hors-champ, le visuel et le sonore.

Soit la situation suivante, fort banale au demeurant : un homme et une femme, face à face, attablés au restaurant. Appelons-les Toddy et Victoria, par référence à *Victor Victoria* de Blake Edwards, 1982 (mais ils sont légion les exemples qui pourraient se substituer à celui-ci). Un cadrage serré montre de trois quarts face Toddy qui, manifestement, s'adresse à Victoria qu'on ne voit pas mais que l'on suppose en face de lui et très proche, ce qu'un contre-champ sur elle confirmera très vite. A l'évidence le plan A, dans son organisation interne, tend vers cet espace que montre ensuite le plan B : direction du regard, tension du cou, espace ouvert sur la droite de l'écran, chuchotement, appellent cet invisible proche, objet de tant d'attention de la part de Toddy. En ce sens, l'arrivée du plan B constitue d'abord une confirmation de A, mais elle est aussi porteuse d'informations. Le cadre saisit une autre partie du restaurant : par sa position symétrique (sur le bord droit, regard et espace ouvert vers la gauche), Victoria manifestement est à son tour tendue vers cet espace visible tout à l'heure, maintenant renvoyé dans le « là » invisible. A et B, du fait de leur organisation interne (à quoi il conviendrait d'ajouter, pour être juste, la permanence du son d'ambiance et la continuité du dialogue), disent la solidarité qui les unit. A eux deux ils construisent ce que l'on pourrait appeler « l'espace de la conversation ».

Or celui-ci n'est pas égal à la somme de A et B. D'une part parce que (aidé en cela par d'autres cadrages plus larges au cours de la même séquence) je construis mentalement un espace physique plus vaste, au sein duquel j'inscris les deux personnages. D'autre part et surtout, parce que je change qualitativement de niveau : seule la réunion de A et de B forme l'espace de la conversation ; chaque plan pris isolément constituant plutôt une sorte d'espace du soliloque.

Cet exemple, tout à fait ordinaire, permet de mettre en évidence ce qui nous paraît essentiel dans la construction séquentielle de l'espace diégétique : le saut qualitatif (changement au niveau de la signification) que produit la réunion de plusieurs unités-plans. Il ne s'agit pas seulement d'agrandir l'espace physique (ou de diminuer, de modifier ses proportions), il s'agit d'en faire varier le sens.

Que les stratégies de combinaison entre l'« ici » et le « là », le son et l'image soient multiples et diverses, riches et variées, on s'en doute. Ces questions ont, elles aussi, fait l'objet d'assez nombreuses études qu'il serait difficile et peut-être peu pertinent de résumer ici (la bibliographie tente de combler ce manque). Il est, croyons-nous, préférable d'insister, à l'aide d'un exemple, sur la « plasticité » de l'espace diégétique dès lors qu'il ne se réduit pas à sa seule dimension physique, car c'est là sa caractéristique majeure.

La séquence finale du *Salaire de la peur* est, à cet égard, particulièrement significative. Après être sorti indemne de son périlleux voyage, Mario a repris le volant de son camion, maintenant vide de toute cargaison, pour rejoindre la petite ville où l'attendent ses amis et sa maîtresse. Tout à la joie de son succès, il se laisse griser par la valse que diffuse la radio de bord, et bientôt, d'un côté à l'autre de la rouge, il zigzague au rythme de l'orchestre. Pendant ce temps, au café de la petite ville, le poste de radio diffuse le même air sur lequel, dans l'euphorie de la réussite, valse bientôt toute la petite communauté. En alternance on suivra le camion sur la route et le bal improvisé au café. Figure de montage fort classique (« syntagme alterné » selon Christian Metz, 1969), chargée de signifier la simultanéité des deux actions, surdéterminée du reste par les nombreux raccords dans le mouvement « valsé ». Le sens du montage serait donc d'ordre temporel.

Cependant ce dernier ne peut prendre cette valeur qu'en raison d'une construction spatiale particulière. Chaque série (Mario au volant, les amis attendant son retour) se déroule dans son lieu propre : la route, le café. L'un et l'autre sont effectivement séparés dans l'espace diégétique (« disjonction distale » diraient Gaudreault et Jost, 1990) ; du reste le déplacement du camion, dont on sait qu'il se dirige vers la petite ville, atteste cette séparation. On se trouve donc en présence de deux « cellules » spatiales nettement démarquées, chacune ayant son sens propre. La première pourrait s'intituler « l'espace du retour » (dont les signes et sèmes seraient la direction du véhicule – de gauche à droite –, l'identité du paysage, la descente, les propos échangés dans la séquence antérieure où Mario affichait son intention de vite reprendre la route), la seconde « l'espace de l'attente » (avec ses signes et sèmes : identité du café et des personnages, désœuvrement anxieux, questions angoissées de la maîtresse puis joie à l'annonce de la prochaine arrivée).

Lorsque Mario allume la radio et que le même geste est produit au café, les deux « cellules » spatiales sont alors connectées grâce à la valse que l'on entend ici et là. Ce que le montage souligne en articulant l'alternance sur les raccords de mouvements valsés. Tout se passe alors comme si un nouvel espace venait de s'ouvrir, celui de la communion euphorique. C'est un espace diégétique (celui du monde dans lequel évoluent les divers personnages), beaucoup plus vaste que la somme des deux « cellules », puisqu'il abolit, d'une certaine manière, la distance qui les sépare. Dès lors la simultanéité temporelle est parfaitement lisible puisque c'est bien la même action (valser pour exprimer sa joie) qui a lieu dans le même espace, celui de l'euphorie.

L'espace diégétique, on le voit avec cet exemple, ne saurait être conçu comme constitué seulement de l'articulation du visible-audible et du non visible-non audible. Il prend appui sur la représentation (elle en est même la condition nécessaire), mais il la déborde et la dépasse sans cesse par les changements de niveau qualitatif qu'il demande pour son appréhension. Or ces changements ne sont pas matériellement inscrits dans le film ; ils sont le fait de l'activité interprétative du spectateur, preuve que l'espace diégétique résulte du travail conjoint du film et de son spectateur.

L'espace narratif

Envisagé jusqu'ici comme le milieu à la fois physique et sémantique dans lequel évoluent les personnages, l'espace est cependant présent dans le film, et plus particulièrement dans le film qui raconte, d'une autre manière : en tant que force agissante du récit. C'est donc sa fonctionnalité narrative qu'il convient d'examiner.

❏ **Fonctions actantielles.** A peine ont-ils quitté la petite ville, que les deux équipages du *Salaire de la peur* vont affronter leurs premières difficultés : la piste sur laquelle ils roulent, soumise à l'érosion, offre brusquement un profil en « tôle ondulée ». Jo et Mario (ainsi que le spectateur) savent que les trépidations répétées et brutales que produirait cette ondulation pourraient être fatales. Une seule solution : rouler à grande vitesse et de façon continue, tout ralentissement devenant mortel. Pédale d'accélérateur au plancher, Mario fonce dans la nuit, lorsque surgit au loin l'arrière du camion qui les précède. Bien entendu (puisque nous sommes au début du voyage), la collision sera évitée *in extremis*.

L'espace, dans sa réalité physique, n'apparaît pas ici comme un simple réceptacle neutre de l'action ; il est lui-même cause du danger couru par Jo et Mario. C'est bien la piste ondulée qui fait obstacle à l'avancée de l'équipage. En termes actantiels, l'espace a ici une fonction d'opposant à la quête entreprise par les deux personnages. Par là il s'affirme comme un véritable protagoniste du récit et participe pleinement à sa dynamique.

La question se pose, alors, de savoir s'il est susceptible d'occuper toutes les positions actantielles. Fort logiquement, s'il est opposant, il peut être aussi adjuvant. Dans *Le salaire de la peur* toujours, la plate-forme qui, au cours de la troisième épreuve, surplombe le ravin et sur laquelle s'engagent en marche arrière les camions, vient en aide aux deux chauffeurs puisqu'elle leur permet de manœuvrer et de prendre un virage particulièrement serré. A vrai dire, c'est en jouant sur l'équilibre entre le statut d'adjuvant et d'opposant que se développe le suspense de l'épisode : si la plate-forme résiste au poids, elle est adjuvant ; si elle s'écroule, elle précipite les camions au fond du ravin.

Dans sa réalité matérielle de lieu ou d'objet, on conçoit assez bien que l'espace puisse occuper ces deux fonctions d'entrave ou de soutien à la quête du héros ; moins évidente, peut-être, semble sa fonction de destinateur ou de destinataire. Pourtant dans *Vidas secas* (Nelson Pereira dos Santos, 1963) – et, au-delà, dans la plupart des films sur l'émigration – qu'est-ce qui pousse les paysans à abandonner leur terre, sinon la pauvreté et l'aridité du sertão brésilien ? L'espace hostile apparaît bien ici avec sa fonction de destinateur puisqu'il entraîne les personnages à s'engager dans la quête d'un mieux-vivre.

La fonction de destinataire, moins évidente peut-être, se rencontre néanmoins fort couramment dans le film de guerre. N'est-ce pas pour préserver sa terre ou sa nation que le « héros » s'engage dans la lutte contre l'envahisseur, par exemple ? Une autre figure apparaît dans le film d'aventures lorsqu'une victime expiatoire, par exemple, est sacrifiée. L'autel ou le temple qui la reçoit occupe bien la position de destinataire, même si, au-delà de lui, c'est la divinité qui est visée.

Quant à la fonction objet, elle se rencontre si couramment qu'elle relève presque de l'évidence. Tout récit de conquête territoriale, quelle que soit la forme qu'elle prenne (colonisation, usurpation, découverte de nouveaux mondes, missions de « civilisation », etc.), a pour objet un territoire et l'espace qui le constitue. Ce rapport du sujet à l'espace est d'ailleurs si fréquent qu'il est à l'origine, comme on va le voir d'ici peu, de véritables matrices narratives.

Reste la question du sujet. L'espace peut-il occuper cette fonction ? La réponse ne peut être aussi immédiate.

Dans *Germinal* (pour prendre un exemple littéraire) le Voreux est décrit par Zola comme ce monstre qui, quotidiennement, avale imperturbablement des centaines et des centaines d'hommes, de femmes et d'enfants. Il est bien le sujet d'un programme narratif que l'on pourrait formuler ainsi : « l'ogre dévorateur ». Et le Voreux, ce puits de mine, est bien, sous la forme d'un lieu, la matérialisation physique de l'espace minier. Soit, mais pour faire du Voreux cet ogre dévorant, Zola a doté le puits d'un ensemble d'attributs et de traits humains. L'anthropomorphisation semble être le prix à payer pour que l'espace devienne sujet. Dès lors, le puits est-il encore à considérer comme un lieu ou comme un personnage ?

A y bien réfléchir cette « humanisation » du sujet va de soi, puisque, dans la logique actantielle, le sujet se définit par son vouloir, devoir, pouvoir faire ou être ; c'est-à-dire par des données proprement humaines. L'espace et les lieux, en tant que système comme en tant que réalité physique, sont donc exclus de la fonction actantielle centrale, sauf à jouer aux marges d'une figuration ambivalente. Ce qui du reste se produit couramment, en particulier dans le récit fantastique. La maison hantée, par exemple, ne tient-elle pas ses pouvoirs de son ambivalence constitutive, à la fois lieu et être maléfique au comportement étrangement humain ?

❒ *Les matrices narratives.* Cette exclusion de la fonction actantielle centrale de l'espace ne le confine cependant pas dans des fonctions subsidiaires ; il est au contraire au cœur de la dynamique narrative, comme l'indique déjà ce que nous avons appelé ailleurs « l'effet Belle au bois dormant » (Gardies, 1993).

La pension de famille est paisible ; chacun, dans la salle commune, vaque à ses occupations et s'abandonne aux loisirs des vacances estivales.

Soudain la porte s'ouvre, le vent s'engouffre et bouscule tout sur son passage : papiers, chapeau, robes et moustaches s'envolent ou battent de l'aile. M. Hulot vient de faire son entrée (*Les vacances de M. Hulot*, Jacques Tati, 1953). L'événement surgit, qui va changer l'ordre des choses : l'espace paisible de la petite pension de famille ne sera désormais plus comme avant. L'arrivée du héros (comme dans le célèbre conte de Perrault) réveille la maison, produit le déséquilibre, moteur de la suite actionnelle. L'entrée en scène du sujet s'accompagne d'une transformation de l'espace, soulignant ainsi la forte corrélation qui les unit.

Dans la mesure où lieux et espaces ne se réduisent pas à leur seule enveloppe physique, mais qu'ils sont porteurs de valeurs (sociales, économiques, culturelles, morales, collectives ou privées, etc.), ils peuvent en effet entrer dans un système d'échange avec le sujet.

Une scène de *Rio Bravo* donnera une idée plus précise de ce processus. Alors que Patt (le convoyeur qui avait proposé son aide au shérif) vient d'être lâchement assassiné, Dude et Chance retrouvent la trace du meurtrier. Après un premier affrontement il a réussi à fuir pour se réfugier dans le saloon où règne en maître la bande à Burdett. Pénétrer là est assurément fort périlleux : l'ordre qui règne dans ce lieu est celui des hors-la-loi. Pourtant, s'ils veulent arrêter l'assassin, Chance et son assistant devront l'investir. La logique actionnelle du récit et sa « dramatisation » commandent cette épreuve.

En réalité, le passage par ce lieu répond aussi à une autre nécessité narrative. Dude, l'ex-adjoint du shérif, devenu ivrogne, a besoin, à ce moment-là du récit, de se réhabiliter. Il doit acquérir deux valeurs : le « devoir-être » (il doit se prouver qu'il est courageux), le « savoir-faire » (il doit vérifier ses qualités de tireur). Parce que le saloon est le lieu de tous les dangers et qu'il est investi d'hommes adroits, la réussite de l'épreuve permettra à Dude d'acquérir courage et adresse, et dans le même temps de changer l'ordre du lieu puisque celui-ci sera, momentanément au moins, placé sous le signe de la loi. Une analyse plus suivie de ce film montrerait qu'en fait tous les lieux du drame répondent certes à une logique actionnelle, mais qu'ils se doublent, particulièrement par rapport à Dude, d'une nécessité axiologique. La prison, le saloon, l'hôtel, la rue sont autant de lieux où s'acquièrent (et se perdent) des valeurs, autant de lieux qui permettent au personnage de Dude de se transformer et de s'affirmer à la fin comme un héros positif. Pareil processus d'échange est même susceptible d'une plus grande généralisation. Il est probablement à la base de tout récit.

Cela suppose qu'entre le sujet et l'espace s'instaure toujours, directement ou indirectement, explicitement ou allusivement, une relation « jonctive », faite soit de conjonction, soit de disjonction. Le récit consistera alors à raconter la transformation de cette relation. En suivant cette hypothèse on dispose de quatre matrices, qui sont comme autant de modèles narratifs nucléaires.

- Au début de l'histoire (en situation initiale donc) le sujet est disjoint de l'espace ; après transformation, il est, en position finale, conjoint à lui. On reconnaît là le schéma auquel répondent les nombreux westerns sur la conquête de l'Ouest.

- Situation inverse : de conjoint qu'il est à l'initiale, le sujet se retrouve, à la fin, disjoint de l'espace. Construits sur cette structure, on reconnaîtra sans difficulté de nombreux films sur l'errance.

Dans les deux cas, la fin du récit coïncide avec l'émergence d'une situation finale opposée à celle du début. Si l'on suppose maintenant qu'à la fin revient la même relation jonctive qu'au début, deux autres matrices sont alors envisageables.

- D'abord disjoint de l'espace, le sujet, à la suite d'un déséquilibre, se trouve conjoint à lui avant de retrouver la disjonction initiale. En dépit du caractère abstrait de la formulation, on aura reconnu certains thèmes archétypiques, comme celui de l'erreur judiciaire : un homme libre se retrouve en prison avant que, son innocence enfin reconnue, il recouvre la liberté.

- Situation inverse à nouveau : conjoint d'abord, le sujet passe par un stade de disjonction avant de retrouver la conjonction initiale. On reconnaîtra là le thème fort conventionnel du retour du fils prodigue.

Ces quatre « structures » sont à prendre pour ce qu'elles sont, c'est-à-dire des matrices élémentaires à fort degré de généralité. Si elles ne rendent pas compte de la singularité de tel ou tel récit, elles dessinent néanmoins les grandes trajectoires qui forment l'ossature d'un très grand nombre d'entre eux. En témoignent deux exemples fameux, quasi mythiques, issus de la bande dessinée, mais ayant donné naissance à quelques films : Lucky Lucke et Astérix le Gaulois. L'un et l'autre sont structurellement opposés. Alors que le premier se termine sur la disjonction d'avec l'espace des exploits (toujours Lucky Lucke reprend la route et s'éloigne), le second passe par le festin de sanglier pour fêter la conjonction retrouvée avec le village.

En outre elles attestent le rôle déterminant que peut endosser l'espace dans la narration. Il est d'abord, en raison de ces diverses fonctions actantielles, ce partenaire-adversaire avec lequel doit compter le sujet tout au long de la dynamique actionnelle. Il est ensuite cet opérateur d'échanges de valeurs par lequel se constitue l'être du sujet. Tout à la fois, il fait avancer le récit et lui donne du sens.

Même si le cinéma, particulièrement lors du tournage en studio, fait grand usage du décor, ce n'est pas à cette façade ornementale que l'espace peut être ramené. Constitutif du langage cinématographique, et à la condition de ne pas le réduire à la seule dimension de la géographie physique, il ne saurait être limité à une simple fonction d'auxiliaire ou de circonstant de l'action. Il se révèle au contraire comme une composante majeure du récit filmique, tant au niveau diégétique qu'au niveau narratif. Et ce serait assurément un grand contresens à l'égard du cinéma que d'en méconnaître les enjeux.

TEXTES

■ Les six segments élémentaires de l'espace

Dans un texte déjà ancien (1967), réédité en 1986, Noël Burch, à partir d'une démarche empirique, posait les bases d'une première approche structurelle de l'espace.

Il peut être utile, pour comprendre la nature de l'espace au cinéma, de considérer qu'il se compose en fait de *deux* espaces : celui qui est compris dans le champ et celui qui est hors-champ. Pour les besoins de cette discussion, la définition de l'espace du champ est extrêmement simple : il est constitué par tout ce que l'œil perçoit sur l'écran. L'espace hors-champ est, à ce niveau d'analyse, de nature plus complexe. Il se divise en six « segments » : les confins immédiats des quatre premiers segments sont déterminés par les quatre bords du cadre ; ce sont des projections imaginaires dans l'espace ambiant des quatre faces d'une « pyramide » (mais ceci est évidemment une simplification). Le cinquième segment ne peut être défini avec la même (fausse) précision géométrique, et cependant personne ne contestera l'existence d'un espace hors-champ « derrière la

caméra », distinct des segments d'espace autour du cadre, même si les personnages y accèdent généralement en passant juste à gauche ou à droite de la
caméra. Enfin, le sixième segment comprend tout ce qui se trouve derrière le
décor (ou derrière un élément du décor) : on y accède en sortant par une porte,
en contournant l'angle d'une rue, en se cachant derrière un pilier... ou derrière
un autre personnage. A l'extrême limite, ce segment d'espace se trouve derrière
l'horizon.

Noël Burch, *Une praxis du cinéma*, « Folio, esais », 1986, p. 39.

■ Les trois niveaux d'espace

Eric Rohmer, en introduction à son étude sur le Faust *de Murnau, envisage plusieurs types d'espace au sein du film, chacun ayant ses caractéristiques propres.*

Le terme d'espace, au cinéma, peut désigner trois notions différentes :

1) *L'espace pictural.* L'image cinématographique, projetée sur le rectangle de
l'écran – si fugitive ou mobile qu'elle soit –, est perçue et appréciée comme la
représentation plus ou moins fidèle, plus ou moins belle de telle ou telle partie
du monde extérieur.

2) *L'espace architectural.* Ces parties du monde elles-mêmes, naturelles ou
fabriquées, sont pourvues d'une existence objective, pouvant, elle aussi, être, en
tant que telle, l'objet d'un jugement esthétique. C'est avec cette réalité que le
cinéaste se mesure au moment du tournage, qu'il la restitue ou qu'il la trahisse.

3) *L'espace filmique.* En fait, ce n'est pas de l'espace filmé que le spectateur a
l'illusion, mais d'un espace virtuel reconstitué dans son esprit, à l'aide des éléments fragmentaires que le film lui fournit.

Ces trois espaces correspondent à trois modes d'aperception par le spectateur
de la matière filmique. Ils résultent aussi de trois démarches, généralement distinctes, de la pensée du cinéaste et de trois étapes de son travail, où il utilise,
chaque fois, des techniques différentes. Celle de la photographie dans le premier cas, de la décoration, dans le second, de la mise en scène proprement dite
et du montage, dans le troisième. Pour chacune de ces trois opérations, il fait
appel à des collaborateurs spécialisés dont il lui revient d'accorder les sensibi-
lités, afin que son œuvre forme un tout cohérent. Inutile de souligner qu'un très
grand nombre de films manque de cette unité et que, par exemple, les ambitions
de la photographie y trahissent l'esprit dans lequel furent construits les décors,
lorsqu'elles ne briment pas tout simplement les élans de la mise en scène.

Eric Rohmer, *L'organisation de l'espace dans le « Faust » de Murnau*,
U.G.E. 10/18, 1977, pp. 11-12.

6

Le temps

Raconter au cinéma, mais aussi à l'écrit comme à l'oral, c'est, si l'on suit Christian Metz et Gérard Genette qui le cite, « monnayer un temps dans un autre temps » (Metz, 1969). Celui-ci se trouve donc au cœur de l'acte de narration. Les historiens aussi le rencontrent, doublement même : il est l'objet de leur interrogation, il est nécessaire à la narration historique (voir Lagny, 1992). Il n'est pas surprenant que la réflexion sur le temps ait depuis longtemps accompagné l'étude des formes littéraires. La narratologie filmique a donc pu très tôt bénéficier de modèles d'analyse, élaborés ailleurs et antérieurement.

Cependant la question posée reste celle de leur adéquation à l'objet filmo-cinématographique.

C'est elle que l'on envisagera ici. *Figures III* de Gérard Genette (1972), synthèse remarquable de clarté et de précision, sera la référence de base, dans le même temps qu'il y aura lieu de prendre en considération la spécificité du médium cinématographique.

La double temporalité

Toute narration (écrite, orale ou filmique), en tant que discours, résulte d'un travail conjoint sur deux axes, celui du récit (au sens de Genette, c'est-à-dire la face signifiante, l'acte d'énonciation), celui de l'histoire (le signifié, les événements du monde diégétique). Chacun possède en propre sa temporalité. Au cinéma la première correspond au temps de la projection. Elle s'exprime directement en secondes, minutes et heures, bien qu'elle puisse aussi, grâce au défilement standardisé, se convertir en longueur de pellicule. La seconde correspond à celle que suppose le déroulement des événements rapportés. Ainsi un film pourra raconter en une heure et demie (pour prendre la durée la plus habituelle) « une journée particulière » ou « la vie criminelle d'Archibald de La Cruz ».

Il s'agit donc bien de monnayer le temps, réel, mesurable, calibré, celui des 24 images par seconde, en un autre temps, virtuel, postulé, imaginable, éventuellement évaluable, celui propre aux personnages de la fiction. La temporalité de la narration peut alors se décrire comme le résultat de la projection d'un axe sur l'autre. Ce que Gérard Genette matérialise le plus souvent par deux axes parallèles entre lesquels s'inscrivent des correspondances. Par là, il met l'accent sur le caractère construit du temps narratif.

Sans remettre en question ce principe, on notera toutefois qu'une telle représentation valide une conception linéaire du temps, justifiée probablement par « la fameuse *linéarité* du signifiant linguistique, plus facile à nier en théorie qu'à évacuer en fait » (Genette, 1972). Au cinéma on peut toutefois se demander dans quelle mesure il ne serait pas préférable d'envisager, comme les historiens, une multitemporalité. La pluralité des matières de l'expression produit plusieurs couches de signifiants, susceptibles chacune de répondre à une temporalité propre. Le verbal bien souvent (dialogues ou commentaires) rapporte des événements ancrés dans un temps différent de celui auquel renvoie l'image au même moment. Certes, le temps du récit (du signifiant, de la projection), réglé par le défilement standard, est rigoureusement linéaire, mais dans son avancée continue il tresse plusieurs fils temporels, rendant ainsi l'approche plus complexe.

Particularités de l'image cinématographique

Entre le récit filmique et le récit écrit, il est encore une autre différence, plus fondamentale puisqu'elle tient au langage même. Alors que la langue, dans son système, distingue les divers temps et modes grâce aux verbes, l'image mouvante ne possède qu'un seul registre d'actualisation, le présent (situation donc à peu près inverse de celle rencontrée avec l'espace). Ce que je vois sur l'écran – ce jeu d'ombre et de lumière, ces divers mouvements – a bien lieu maintenant, au moment où je le perçois ; de plus, en raison de l'évanescence de l'image qui toujours s'efface au profit de la suivante, c'est un présent toujours en fuite. Néanmoins, et bien entendu, cette course-poursuite entre deux bolides dont je suis maintenant les péripéties peut avoir lieu, dans le temps de l'histoire, au passé. Elle est alors signifiée comme passée tandis que sa réception est phénoménologiquement présente. Cela est un peu plus complexe encore si l'on songe que cette image que je vois maintenant est la trace définitivement fixée d'un événement profilmique antérieur. Réalité dont nous prenons généralement conscience par la nostalgie – qui est bien ce qu'elle est – qui nous saisit en voyant, par exemple, la Simone Signoret de *Casque d'or* et celle de *La veuve Couderc* (Pierre Granier-Deferre, 1971).

Sans que cela soit inexact, dire de l'image mouvante qu'elle est au présent tend néanmoins à la simplification. Il est beaucoup plus juste de la caractériser, comme le font Gaudreault et Jost (1990), par sa valeur d'*imperfectif* :

> L'image cinématographique se définit donc moins par sa qualité temporelle (le présent) ou modale (l'indicatif) que par cette caractéristique *aspectuelle* qui est d'être *imperfective*, de montrer le cours des choses. (p. 103)

Il est même possible d'aller un peu plus loin dans cette approche : elle montre le cours des choses certes, mais en l'inscrivant dans la constante transformation qui l'anime. Or cette transformation, du moins à l'intérieur du plan, s'effectue dans la durée continue. Le signifiant visuel, celui de l'image mouvante, s'apparente donc à une sorte de pure durée. Imperfective au plan aspectuel, elle est aussi durée phénoménologique. Cela n'ira pas sans conséquences quant à l'analyse du récit filmique.

Les trois aspects du temps

A partir du double axe temporel, Gérard Genette propose d'étudier les rapports qui se tissent entre le temps du récit et celui de l'histoire, du point de vue de l'ordre, de la durée et de la fréquence. Ce sont assurément là trois formes de manifestation du temps qu'on ne saurait contester, aussi les reprendrons-nous, avec toutefois quelques correctifs pour tenir compte des caractéristiques du médium cinématographique. Notamment nous nous attarderons sur la durée, tandis qu'ordre et fréquence seront regroupés et sommairement résumés. Ces deux derniers, du moins au niveau des unités narratives de quelque importance, se transposent sans grands changements du roman au film.

❐ *L'ordre.* Ayant à rapporter des événements, tout narrateur a le choix entre suivre l'ordre dans lequel ceux-ci sont censés se dérouler (c'est l'ordre chronologique), soit en adopter un autre (c'est le régime des « anachronies », pour reprendre l'expression de Gérard Genette).

88

Le début *in media res* fournit de ce dernier une bonne illustration. Figure classique du film policier : les premières images montrent le crime, survient ensuite l'inspecteur qui, pour les besoins de son enquête, va reconstituer les événements antérieurs avant de se lancer à la poursuite du criminel. Le récit engage donc le cours des événements, puis il le suspend pour remonter dans le passé, avant de reprendre le déroulement chronologique.

Si elle s'exerce ici en direction du passé, l'anachronie peut aussi s'exercer en direction des événements futurs. « Retour en arrière », « rétrospection », « flash-back », « anticipation », « flash-forward » sont quelques-uns des termes qui désignent habituellement ces phénomènes. Gérard Genette propose de leur substituer les deux expressions : « analepse », lorsque le récit suspend son cours pour rapporter des événements ayant eu lieu précédemment, « prolepse » lorsque sont rapportés maintenant des événements qui auront lieu plus tard.

Toutefois cette symétrie (au regard vers le passé répond le regard vers le futur), satisfaisante pour l'esprit, n'est pas dans les faits aussi sensible. La prolepse, bien souvent, rapporte les événements sur un mode moins assertif que l'analepse. Alors qu'il s'inquiète, auprès de son compagnon, des horaires de trains – *La guerre est finie,* Alain Resnais, 1966 –, plusieurs plans brefs et montés « cut » montrent Diego arrivant à la gare, se précipitant vers le quai et sautant dans un train en partance. Le récit anticipe sur des événements qui auront lieu un peu plus tard. Qui auront lieu ou qui pourraient avoir lieu ? Cette suite d'images peut, en effet, se lire comme la traduction visuelle des pensées de Diego, se demandant s'il aura le temps de prendre le train pour Paris. Cependant, comme il prendra effectivement le train, il s'agit aussi d'une anticipation. Parce qu'elle rapporte des événements qui sont censés ne pas avoir encore eu lieu, la prolepse peut hésiter entre le tour assertif et le mode hypothétique, ne serait-ce bien souvent que pour ne pas révéler la suite et préserver ainsi le code de l'énigme. N'est-ce pas, par exemple, la fonction des prémonitions inaugurales (rêves et divinations) dans la tragédie classique ?

Toutefois il lui arrive aussi, et paradoxalement, de renforcer ce même code énigmatique. Dans *L'homme qui ment* (Alain Robbe-Grillet, 1968) la marche de Boris vers le village est à diverses reprises littéralement coupée par le surgissement de gros plans de jeunes femmes dont on se demande alors quel est leur rapport avec l'action en cours. Il s'agit en fait de plans d'annonce d'une scène qui se développera bientôt. Plus remarquable encore cet exemple de *Il était une fois dans l'Ouest* (Sergio Leone, 1969).

A deux reprises, lorsque l'homme à l'harmonica se trouve en présence de Franck, un plan d'homme indistinct surgit, accompagné d'un air entendu, lui, à de multiples reprises. Le spectateur ne peut que s'interroger sur le sens de ces deux plans qui lui semblent anticiper sur une scène à venir. Effectivement, un peu plus tard viendra la réponse lorsqu'on découvrira qu'il s'agit d'un souvenir, celui du meurtre violent et sadique du frère aîné, perpétré par Franck. Les deux plans anticipaient, de façon énigmatique, sur l'évocation d'une scène passée. Prolepse sur analepse, l'ordre se complique !

Les anachronies, on le voit, procèdent par enjambements et m'invitent à une lecture qui progresse par bonds. Aussi Genette propose-t-il d'évaluer l'importance de ces sauts. D'abord en distinguant ceux qui m'amènent au-delà des limites temporelles de l'histoire en cours. Supposons qu'un récit débute au 1er janvier 1900 et qu'arrivé aux événements du 31 mars de la même année il s'arrête pour relater (à des fins d'explication par exemple) un drame ayant eu lieu en 1898. On serait en présence d'une analepse « externe ». Au contraire si le drame avait eu lieu au mois de février 1900 (et que pour une raison quelconque le narrateur n'avait pas jugé bon de le rapporter au moment voulu), il s'agirait d'un retour en arrière « interne ». Reste le cas de l'analepse « mixte » : l'événement faisant l'objet du retour en arrière aurait commencé, par exemple, en 1899 et se serait achevé en février 1900. Son début serait externe et sa fin interne.

Dans la même logique, on distinguera la « portée » et l'« amplitude » de l'analepse (ou de la prolepse, bien entendu). La première, comme en balistique, évalue la grandeur temporelle de l'enjambement. Pour reprendre l'exemple précédent, le « bond » irait du 31 mars 1900 au 1er janvier 1898, soit une portée de deux ans trois mois. Quant à l'amplitude elle évalue la durée propre à l'analepse (ou la prolepse) : si l'événement s'est déroulé sur toute l'année 1898, son amplitude est de un an. Bien entendu il n'est pas toujours aisé, voire possible, de définir avec précision cette chronologie ; elle dépend du soin avec lequel le récit fournit ou non des indications. Au-delà des chiffres, l'intérêt de ces diverses distinctions réside plutôt dans la mise en évidence des stratégies grâce auxquelles un récit sort des contraintes de la chronologie pour s'ouvrir à un ordre qu'il invente.

❒ *La fréquence.* Avec la fréquence on entre peut-être plus dans une dimension aspectuelle que temporelle : c'est le caractère itératif ou singulatif du récit qui est envisagé. Pour prendre un exemple linguistique simple, soit l'énoncé suivant : « il déjeunait tous les matins d'un croissant et d'une tartine beurrée ». Le recours à l'imparfait permet en un seul énoncé de décrire un nombre indéfini d'événements donnés comme identiques et répétitifs. Le déjeuner, accompagné de croissant et de tartine beurrée, s'est produit pendant plusieurs matins. Cet énoncé raconte donc en une fois ce qui s'est produit n fois. C'est le mode itératif.

A l'inverse, si je raconte une fois ce qui s'est produit une fois, c'est au mode singulatif que je recourrai. Reste deux autres cas de figure : raconter plusieurs fois ce qui s'est produit une seule fois (c'est le mode *répétitif*) ; raconter n fois ce qui s'est produit n fois. Cette dernière configuration, en fait, correspond à la forme plurielle du singulatif, par simple addition : il y a plusieurs événements et plusieurs récits mais chacun en raconte un seul.

Dans la mesure où l'image mouvante est d'essence singulative (elle ne peut photographier qu'une seule occurrence événementielle à la fois ; sauf cas de stricte duplication, si elle filme une seconde fois le même événement, elle en fournit une seconde version et non la simple répétition), deux de ces quatre figures appellent quelque attention.

Le cinéma peut-il, et comment, donner à la visualisation d'un événement singulier une valeur itérative ? Comment peut-il, par exemple, donner à l'image d'un homme se promenant le long de la Seine le sens : « Chaque jour, il retrouvait le plaisir de longer ce fleuve qui lui était devenu familier » ? Le verbal (qui a toujours été présent dans le film, même à l'époque du muet, sous la forme des cartons notamment) sera bien souvent l'agent de cette itération. Mais, tout au long de son histoire, le cinéma a tenté de trouver des solutions « visuelles », sous la forme notamment (devenue plus ou moins stéréotypée) du montage en « accolade » : plusieurs plans, généralement brefs, juxtaposés dans une sorte de variation autour de la même action. Une règle, ou plutôt une contrainte, semble s'imposer : travailler les variantes et les différences de manière à ce qu'à travers elles se lise la permanence d'un élément. La juxtaposition de plusieurs promenades fort semblables vaut pour « l'habituelle promenade ». Dès lors il peut être tout à fait intéressant de voir comment tel ou tel film a résolu, pour son propre compte, la question de l'itération lorsqu'il la rencontrait.

On ne manquera cependant pas de noter que pour obtenir un effet de sens proche de celui que traduit l'imparfait, le film procède de manière exactement inverse de celle de la langue : tandis que celle-ci me permet de condenser en un seul énoncé des événements nombreux mais tous semblables, le cinéma produit plusieurs énoncés du même événement pour en abstraire la valeur répétitive. Dès lors surgit la seconde question : comment distinguer cela de la figure consistant à raconter *n* fois ce qui s'est produit une fois ?

Référons-nous au célèbre exemple de *La Comtesse aux pieds nus* (Joseph Mankiewicz, 1954). On se souvient que la scène de la rencontre avec le comte est racontée deux fois. L'événement se produit dans le même lieu, les personnages et l'action sont identiques, seule change la manière de les filmer. Cette différence correspond en fait à deux regards : le premier est relativement neutre, le second répond au point de vue du comte. Au plan de l'histoire, nous n'avons qu'un seul événement, strictement répété. Au plan du récit, au contraire, nous avons une double perspective, et c'est ce changement de « narrateur » qui permet au spectateur de donner un autre sens à la scène. Dans *Rashômon* (Akiri Kurosawa, 1950), pour prendre encore un exemple célèbre, c'est toute la construction du film qui répond au principe répétitif, puisque le même événement fait l'objet de quatre versions différentes.

Plus singulière peut-être, la séquence de l'évasion/arrestation de Jean dans *L'homme qui ment*. Une première fois Boris raconte comment il s'est conduit en héros en aidant Jean à s'évader durant la Résistance (récit à la fois verbal et visuel) ; une seconde fois, Boris, reprenant le même épisode de la Résistance, fait de Jean un traître et un salaud. Un même événement, un seul regard (celui de Boris), deux versions. Une relation de contradiction apparaît aussitôt qui, en un sens, confirme l'hypothèse du « mensonge ».

A partir de ces trois exemples, on peut établir plus clairement la différence entre le montage itératif et le répétitif :
- dans un cas l'action fait l'objet, au niveau de l'histoire, de plusieurs occurences mais toutes fort semblables, alors que dans l'autre cas on est en présence d'un seul et même événement ;
- dans un cas les changements minimes, au niveau du récit, sont motivés par la pluralité actionnelle, alors que dans le second cas les modifications sont le fait ouvertement de l'instance narratrice. Ce qui rend sa présence évidente.

Si dans la langue la fréquence appartient au système des verbes, au cinéma elle doit être construite à partir de stratégies narratives. En ce sens, elle a peut-être davantage à voir avec les problèmes rhétoriques d'organisation du récit qu'avec ceux directement articulés sur la temporalité. Toutefois l'itération, parce qu'elle fait retour sur des événements déjà racontés, ne manque pas d'avoir des effets sur le rythme de la narration.

La durée

Le rythme, c'est précisément l'un des effets essentiels que gère la durée. Elle s'évalue à partir du rapport entre l'axe du récit et celui de l'histoire. Quatre situations-types sont dégagées par Gérard Genette :

- La scène, où le temps du récit est à peu près équivalent à celui nécessaire au déroulement des événements (tR = tH). C'est l'exemple (au niveau d'un film entier) de *Cléo de cinq à sept* (Agnès Varda, 1962) ou du *Train sifflera trois fois* (Fred Zinneman, 1952).

- Le sommaire, où le temps du récit est inférieur à celui des événements (tH > tR). C'est le régime narratif le plus habituel.

- La pause descriptive, où le temps du récit a une certaine valeur tandis que l'histoire n'avance pas, que sa durée est égale à zéro (tR = n / tH = 0). Ce cas correspond au syntagme descriptif tel que le caractérise Christian Metz. En son début, par exemple, tel film pourra proposer une succession de vues diverses sur une ville donnée (ce pourrait être le début de *Manhattan*, par exemple, de Woody Allen, 1979). Le temps du récit a une certaine durée (celle correspondant à la longueur des plans) alors que ces vues de la ville ne renvoient à aucune durée événementielle.

- L'ellipse, où le temps du récit est égal à zéro, tandis que celui de l'histoire possède une certaine valeur (tR = 0 / tH = n). Rapport inverse du précédent, l'ellipse a pour caractéristique de permettre de fortes accélérations narratives.

Pour être plus complet, il faudrait ajouter une cinquième figure, celle où le temps du récit est supérieur au temps de l'histoire (tR > tH). Elle est d'usage assez courant pour les effets de suspense, particulièrement dans ces ultimes instants où s'égrènent les dernières secondes avant le moment fatidique. Ce sont aussi, dans un autre registre, ces infimes fractions de temps précédant la mort et au cours desquels le personnage revoit le fil de sa vie (*La rivière du hibou,* de Robert Enrico, 1961, par exemple). Suivant en cela Gaudreault et Jost (1990), on appelera cette figure temporelle la « dilatation ».

Reste une question propre au cinéma, que ne pouvait donc pas envisager Genette, celle des effets de ralenti ou d'accéléré. Toutefois, parce qu'elle touche davantage au langage cinématographique qu'à la narrativité, elle indique que l'analyse de la durée dans le récit filmique suppose la prise en compte de traits spécifiques au médium et, qu'en ce sens, le modèle genettien doit être complété.

❑ *Plan et séquence.* Tout plan filmique se matérialise par une certaine longueur de pellicule qui correspond à une certaine durée de projection. Tout film est ainsi constitué de fragments de durée, filmés en continuité. De cette assertion il convient d'exclure, naturellement, le « cinéma du photogramme » (D. Chateau, 1976), celui du film d'animation par exemple, pour lequel la prise de vues s'effectue photogramme par photogramme et où ceux-ci se constituent en unité de mesure temporelle.

A l'intérieur du plan il n'y a donc pas de rupture temporelle ; chaque photogramme y est séparé de celui qui le précède (et qui le suit) par un intervalle de temps constant (1/48ᵉ de seconde dans les conditions standard) que le défilement de la projection efface et rend imperceptible. En revanche la séquence, dès lors qu'elle se compose de plusieurs plans, comporte des césures temporelles. Une ellipse est toujours susceptible de se glisser entre deux plans. La durée au cinéma résulte alors de ce que l'on pourrait appeler, par référence métaphorique à la linguistique, une double articulation. Au premier niveau, celle interne au plan, placée sous le signe de la continuité, avec une équivalence quasi parfaite entre le temps du récit et celui des événements (exceptions notables : les trucages de l'accéléré et du ralenti jusqu'à l'arrêt sur image) ; au second niveau celle propre à la séquence (au syntagme, pour être sémiologiquement plus juste) qui repose sur le principe du « clignotement » : alternance de durées pleines et de durées « blanches » (les ellipses).

Au cinéma nous sommes donc en présence de deux durées, susceptibles de fonctionner complémentairement, mais qui relèvent de deux approches distinctes. L'une que nous pouvons évaluer par projection de l'axe du récit sur celui de l'histoire (suivant donc les principes genettiens) : à *n* secondes de projection correspond une durée événementielle de plus ou moins grande importance. L'autre qui est de type phénoménologique, celle du plan, pour lequel la continuité de l'image implique un flux temporel effectif. En un sens, la première relève des stratégies narratives tandis que la seconde s'articule sur l'activité de monstration propre à l'image ; le plan montre et il montre pendant un certain temps, celui de sa propre durée.

Dans cette perspective la question du rythme comporte deux aspects. Avec le premier cas on obtiendra des effets d'accélération, de ralentissement, de pause, de saut, portant sur des segments filmiques d'assez grande ampleur ; avec le second, les effets produits seront d'un autre ordre, et ils demandent un examen attentif.

Si à l'intérieur du plan la coïncidence entre le temps du récit et celui de l'histoire est chronométriquement exacte, cela ne signifie pas pour autant que l'on puisse ramener l'évaluation de la durée à cette seule mesure. La perception s'accompagne de phénomènes subjectifs importants : on sait d'expérience qu'un plan bref peut donner l'impression de durer plus longtemps qu'un plan objectivement plus long. Des facteurs autres que celui du temps chronométrique entrent en jeu.

En particulier le rapport entre la durée objective et le taux d'information, que l'on pourrait formuler ainsi : au sein du plan (quoique, moyennant diverses conditions complémentaires, ceci pourrait être extensible au segment, voire au film tout entier), l'effet de durée est inversement proportionnel au taux d'information que celui-ci contient. En effet, le temps durant lequel le plan montre, est un temps au cours duquel je recueille et traite des informations. La difficulté consiste alors en l'évaluation de ce taux d'information. Est-il mesurable ?

La réponse n'est pas aisée, néanmoins deux « pistes » sont envisageables. La première, portant plutôt sur des segments de film, prendrait pour repères les notions de « fonction » et d'« indice » avancées par Roland Barthes (1976). Toute fonction cardinale constitue, du point de vue narratif, une information essentielle puisque précisément elle introduit un moment de risque pour le récit ; celui-ci est susceptible de s'orienter dans une direction ou dans une autre. Pour cette raison un film d'action (qui comporte donc de nombreuses fonctions cardinales) produit généralement une impression de rapidité. Les indices (« proprement dits » et « informants »), tant qu'ils sont convertibles en information, sont autant d'éléments susceptibles de donner à la narration un rythme soutenu.

La seconde piste, qui concerne plus spécialement le plan, correspondrait à ce que Claudine de France (1980) appelle « la loi d'encombrement de l'image ». En effet, plus cette dernière sera encombrée, plus elle demandera à être montrée longtemps pour que puisse être traitée l'information qu'elle contient. Dans la même logique, moins l'image contient de données moins elle a besoin de temps pour être lue. Un effet de durée pourra être ainsi obtenu en jouant sur la vacuité de l'image.

Un film comme *Moderato cantabile* (Peter Brook, 1960), qui explore magistralement la richesse structurelle du temps, saura jouer de cette vacuité pour donner un sentiment de durée indéfinissable à l'impossible passion d'Anne Desbarèdes et Chauvin. Paysages dépouillés (le ciel, le fleuve large comme une mer, les quais déserts du port, les alignements d'arbres nus), maison abandonnée et vide, crépuscules sans vies, lents travellings sur l'eau, les murs ou les grilles, se déploient en plans dont la durée toujours excède le temps nécessaire à leur lecture. Les actions itératives (longues marches au bord des quais, dans les rues inanimées) disent aussi ce temps qui vit de sa durée toujours un peu excessive. Le résultat relève du paradoxe. Alors que les rencontres d'Anne et Chauvin s'étendent sur dix jours (eux-mêmes régulièrement ponctués), leur passion, violente et secrète, s'inscrit dans une durée indéfinie.

C'est aussi ce rapport entre la longueur effective du plan et sa relative vacuité qui peut conduire à de nouvelles « lectures ». Nombre de films à caractère expérimental jouent sur une dilatation extrême de la durée ; que l'on songe, par exemple, à *Wavelength* (Michaël Snow, 1967) qui consiste en un zoom avant de 45 minutes explorant dans toute sa longueur un atelier jusqu'au mur d'en face sur lequel est épinglé une photo de vagues. L'information, du moins si on l'envisage en termes de narrativité, est quasi nulle : il ne se passe rien, sinon cette avancée d'une extrême lenteur vers la photo. Cependant, une fois franchi un certain seuil d'attente, tandis que s'oublie notre conditionnement au régime narratif habituel, de multiples et microscopiques événements commencent d'émerger puis se développent jusqu'à polariser notre conscience perceptive : variations de lumière, modifications des couleurs du film, saisies furtives de la rue par les fenêtres, quelques brèves apparitions de personnes dans le champ, tandis que la bande sonore, sans souci majeur de synchronisme, propose ses propres intensités. Au-delà de ma perception habituelle, en raison même de ce travail sur l'excès de la durée, je suis progressivement amené à « lire » un nombre considérable d'informations. Le temps dilaté change mon regard et me conduit à lire des informations là où j'aurais pu croire n'avoir que du bruit.

En ce sens la durée apparaît bien comme l'aspect temporel le plus directement ancré sur la spécificité du médium.

Suivant le niveau où elle se situe, l'analyse pourra ainsi envisager la temporalité du récit filmique soit dans la perspective de la narrativité (et dans ce cas le modèle genettien, reposant sur le triptyque : ordre, durée, fréquence, pourra être reconduit dans sa quasi-intégralité), soit dans la perspective d'un fonctionnement lié spécifiquement au médium cinématographique ; elle devra alors prendre en compte cette particularité fondamentale qui veut que l'image et le son, pour se manifester – pour être perçus –, passent par l'expérience phénoménologique de la durée.

TEXTES

■ **Rythme psychique, rythme filmique**

Dans une étude déjà ancienne, Étienne Souriau analyse les « grands caractères de l'univers filmique », en particulier le rythme. Cet extrait nous semble significatif des travaux qui furent entrepris au sein de l'Institut de Filmologie, précurseurs des approches théoriques contemporaines.

Il en résulte un autre caractère encore très remarquable, très différenciant par rapport au monde ordinaire, afilmique : le *rythme* de cet univers n'est pas celui de l'autre. Il est, je ne dis pas plus rapide ou plus pressé, mais plus dru. Nous avons affaire à un univers *incité*. Les périodes d'insipidité, d'inutilité quant à notre plaisir ou à notre intérêt, tombent dans le trou, dans la cavité de l'implicite, et raccordent l'instant à l'instant, de la façon la plus économique quant à la peau de chagrin de la durée utilement vécue : utilement, c'est-à-dire avec un intérêt souvent accentué de pathétique. Non seulement nous ne devons jamais avoir le temps de nous ennuyer, mais nous devons généralement encaisser en une heure de durée filmique une somme totale d'événements, de faits, d'individus à connaître et d'objets à identifier, très supérieure à celle que la vie nous offre en général dans un temps égal. Sans doute il est ailleurs des heures d'exception où on vit vite, où on absorbe beaucoup d'événements et de contenu cosmique en peu de temps. Mais ce qui, dans le train ordinaire de la vie humaine, représente un rythme d'exception est ici le rythme normal. Bien entendu, il ne s'agit aucunement d'un rythme matériel ; d'une vitesse de défilé des images écraniques. Le temps est passé depuis bien longtemps où l'*agogique* (le *tempo*) des mouvements et des images était trop rapide matériellement, dans la projection cinématographique. Tout au contraire, on s'est sans cesse préoccupé, et avec succès, de l'adapter au meilleur rythme perceptif et représentatif. Et si en général on tend plutôt à pousser le *tempo* vers le maximum compatible avec notre agrément, il arrive fréquemment qu'on cherche dans certaines séquences, et parfois dans tout un film, des effets de rythme alenti. Mais il s'agit d'une « densité événementielle » de la durée. Et d'une façon générale, ses *prestos* ou ses *andantes* sont concertés par rapport à nos besoins d'excitation ou de repos, de manière à nous mettre à notre meilleure allure psychique. Le rythme de cet univers est un *rythme psychique*, calculé par rapport à notre affectivité de manière à l'entretenir dans un état d'incitation constante, variée, toujours trottante, si je puis dire. Bien sûr, il est des erreurs et des insuccès à cet égard ; et j'en sais plus d'un qui, au cinéma, parfois s'ennuie, souhaiterait être ailleurs, ou trouve cette incitation excessive, grossière, et sollicitant indiscrètement sa sensibilité. Mais ces erreurs n'infirment pas la règle, à savoir, qu'une finalité existe, dans l'univers filmique, en ce sens ; et que le temps de cet univers est, en principe, incité activement en fonction d'une bonne arabesque à réaliser.

Étienne Souriau, « Les grands caractères de l'univers filmique », in : *L'univers filmique*, Flammarion, 1953, pp. 14-15.

■ Temps du récit ?

Tout en soulignant quelques traits plus marqués du récit littéraire, Gérard Genette s'interroge ici sur les caractéristiques de la temporalité dans le récit.

« Le récit est une séquence deux fois temporelle... : il y a le temps de la chose-racontée et le temps du récit (temps du signifié et temps du signifiant). Cette dualité n'est pas seulement ce qui rend possible toutes les distorsions temporelles qu'il est banal de relever dans les récits (trois ans de la vie du héros résumées en deux phrases d'un roman, ou en quelques plans d'un montage « fréquentatif » de cinéma, etc.) ; plus fondamentalement, elle nous invite à constater que l'une des fonctions du récit est de monnayer un temps dans un autre temps » (Christian Metz).

La dualité temporelle si vivement accentuée ici [...] est un trait caractéristique non seulement du récit cinématographique, mais aussi du récit oral, à tous ses niveaux d'élaboration esthétique, y compris ce niveau pleinement « littéraire » qu'est celui de la récitation épique ou de la narration dramatique (récit de Théramène...). Elle est moins pertinente peut-être en d'autres formes d'expression narrative telles que le « roman-photo » ou la bande dessinée. [...] Le récit littéraire est à cet égard d'un statut encore plus difficile à cerner. Comme le récit oral ou filmique, il ne peut être « consommé », donc actualisé, que dans un *temps* qui est évidemment celui de la lecture, et si la successivité de ses éléments peut être déjouée par une lecture capricieuse, répétitive ou sélective, cela ne peut même pas aller jusqu'à l'analexie parfaite : on peut passer un film à l'envers, image par image ; on ne peut, sans qu'il cesse d'être un texte, lire un texte à l'envers, lettre par lettre, ni même mot par mot ; ni même toujours phrase par phrase. Le livre est un peu plus tenu qu'on ne le dit souvent aujourd'hui par la fameuse *linéarité* du signifiant linguistique, plus facile à nier en théorie qu'à évacuer en fait. [...]

Ces précautions prises, nous étudierons les relations entre temps de l'histoire et (pseudo)-temps du récit selon ce qui m'en paraît être les trois déterminations essentielles : les rapports entre l'*ordre* temporel de succession des événements dans la diégèse et l'ordre pseudo-temporel de leur disposition dans le récit [...] ; les rapports entre la *durée* variable de ces événements, ou segments diégétiques, et la pseudo-durée (en fait, longueur de texte) de leur relation dans le récit : rapports, donc, de vitesse [...] ; rapports enfin de *fréquence*, c'est-à-dire [...] relations entre les capacités de répétition de l'histoire et celles du récit.

Gérard Genette, *Figures III,* Éditions du Seuil, 1972, pp. 77-78.

7

Voir et savoir

Sous l'œil attendri de sa mère et celui, sévère, de son professeur, l'enfant fait ses gammes puis entame la « jolie sonatine de Diabelli » lorsque, soudain, un cri déchirant venu de l'extérieur perturbe la leçon de piano. Nous sommes au début de *Moderato cantabile*. Curieux, l'enfant tente d'aller à la fenêtre. Il en est empêché. Le cri reprend, un long cri d'agonie. Ma curiosité de spectateur, comme celle de l'enfant (mais aussi, très vite, celle de la mère et du professeur), est piquée. Qui peut pousser un tel cri, et pourquoi ? que se passe-t-il là, dehors ? Cédant à l'envie, l'enfant, sa mère et le professeur vont à la fenêtre, l'ouvrent, se penchent à l'extérieur. Ils voient, mais moi spectateur je ne vois rien (sinon qu'ils sont en train de voir ce que j'aimerais voir) : la caméra reste obstinément au centre de la pièce. Le film refuse de me montrer ce qui se passe dehors et, ignorant, j'en suis réduit aux hypothèses : un drame, probablement, a lieu dont j'ignore tout. Même les quelques mots de commentaire du professeur, alors qu'elle referme la fenêtre, sur le caractère peu recommandable de son quartier, ne me seront pas d'un grand secours.

Venu de la rue, le brouhaha s'amplifie. Pour la seconde fois on ouvre la fenêtre ; l'enfant se penche, et la caméra, adoptant enfin son point de vue, me montre la chaussée envahie par une foule de curieux. Tout le monde se dirige vers le bâtiment en contrebas, semble pénétrer dans un local où doit avoir lieu le drame. Je n'en saurai pas davantage : la vue est arrêtée par le mur et la corniche du toit inférieur. Il me faudra attendre encore quelques instants, qu'Anne Desbarèdes descende dans la rue et se mêle à la foule, pour voir la femme morte, assassinée, et savoir qu'un crime passionnel vient d'avoir lieu.

En son début *Moderato cantabile* est exemplaire de l'accès au savoir du spectateur : il est fondamentalement lié à la vue. Certes, au cours de la scène j'ai appris quelque chose ; j'ai appris, grâce au son (paroles et bruitage), qu'un événement grave devait probablement se dérouler à l'extérieur. Mais il s'agit d'un savoir fragile, reposant sur des hypothèses échafaudées à partir d'indices sonores et que la vue doit confirmer ou infirmer.

Dès lors, la question narratologique du « point de vue » prend au cinéma une signification toute particulière.

Bref historique

A partir de quel foyer de conscience le récit est-il raconté ? Si l'on s'accorde à faire remonter la réflexion théorique sur cette question à Henry James, elle est depuis toujours au cœur de la narration. Que l'on songe, par exemple, à la manière dont Diderot la met en scène dans *Jacques le fataliste*. Rien de surprenant, donc, à ce qu'elle soit apparue très tôt dans le champ de la narratologie.

En France, dès 1946, Jean Pouillon, dans *Temps et roman*, montre que le récit peut être rapporté à partir de trois « positions-types » : le point de vue adopté est soit « au-dessus » des personnages, soit « avec », soit « par-derrière ». Quelques années plus tard, Tzvetan Todorov (1966) reprendra cette tripartition en distinguant les cas où le narrateur en sait « autant », « moins » ou « plus » que les personnages.

C'est avec Gérard Genette (1972) que la question recevra les réponses les plus décisives. Tout en conservant les trois « situations-types », il introduira une distinction essentielle en dissociant la voix et la vue (qui parle ? qui voit ?). La prise en compte du médium cinématographique, un peu plus tard, permettra de poser, sous l'impulsion de François Jost (1987) et quelques autres (Gaudreault, Ropars, Sorlin, Gardies), une nouvelle distinction entre le voir et le savoir.

Ainsi le problème narratologique du « point de vue » se sera progressivement affiné : cette notion aux contours indécis, considérée comme un tout, se subdivise aujourd'hui en trois questions distinctes : qui parle (cette voix narratrice sera au centre du prochain et dernier chapitre) ? qui voit ? quel savoir et comment ?

Les deux types de focalisation du récit filmique

Lorsque Gérard Genette emploie le terme de focalisation (interne, externe ou zéro) pour désigner les choix stratégiques du narrateur, il entend signifier que les événements diégétiques pourront être appréhendés à partir d'un foyer perceptif (interne ou externe) ou non (focalisation zéro). Il s'agit bien d'un choix qu'opère le narrateur. Or au cinéma, d'une certaine manière, ce choix n'existe pas : le récit passe obligatoirement par un foyer, le foyer optique de l'objectif. Pour sa constitution, l'image filmo-cinématographique, on l'a vu, répond aux lois physiques de l'optique. Dès lors que l'image mouvante est sémiologiquement première au cinéma, je ne puis raconter sans montrer, et je ne puis montrer sans passer par un foyer.

Aussi sommes-nous en présence, avec le récit filmique, de deux types de focalisation : l'une physique et optique, liée à la formation de l'image, relevant intrinsèquement du langage cinématographique, l'autre, celle que décrit Genette, dépendant des stratégies narratives. Pour cette raison, il est préférable de les distinguer par deux appellations : la première, parce qu'elle dépend au moment du tournage de la place occupée par la caméra, je la nommerai « localisation » (Gardies, 1993) ; la seconde, parce qu'à ce niveau le film distribue et agence ce qu'il me donne à voir, sera baptisée « monstration ».

L'une et l'autre, mais de façon différente, définissent et règlent ce que je peux ou dois voir. Car au cinéma je ne puis voir que ce qui m'est donné à voir. Or, le plus souvent, du moins dans le cinéma de consommation courante, ce que je vois sur l'écran a l'air d'aller de soi, comme si ce monde était là de lui-même. Sous l'évidence du voir, il m'arrive d'oublier que ce voir est d'abord du *montré*, c'est-à-dire le résultat d'un choix délibéré du réalisateur. Au reste, comme cela apparaît dans le début de *Moderato cantabile*, c'est lorsque l'accès au voir m'est refusé que se manifeste ouvertement la présence d'une instance qui décide de montrer ou non.

Raconter au cinéma, c'est donc d'abord *montrer, donner à voir,* même si, bien entendu, l'acte de narration ne saurait se réduire à cela. Or en montrant, en donnant à voir, le film dispense du savoir. En effet, en termes de logique cognitive, comme le précise Michel Colin (1988), « si je voix que x est P, alors je sais que x est P », « si je voix x alors je sais qu'il existe un x ».

Ainsi au cinéma le montré résulte d'un choix, en même temps que les décisions qu'il implique contribuent au réglage de mon savoir de spectateur. Naturellement ce savoir s'enrichit d'autres sources : le verbal et le bruitage notamment, la musique aussi, mais dans une moindre mesure. Toutefois, et sans que cela dispense de l'analyse de leur articulation avec lui, ces diverses sources s'ancrent sur le geste premier qu'est celui du montré, du donné à voir.

Suivant en cela quelque chose de semblable à la durée, une sorte de double articulation se retrouve dans le donné à voir. Aussi distinguera-t-on soigneusement ce qui intervient au niveau de l'unité-plan, et ce qui concerne l'unité supérieure qu'est le syntagme.

La localisation

En raison du mode de formation de l'image filmo-photographique, tout plan filmique suppose que l'appareil de prise de vues occupe dans l'espace physique une position donnée. De cette situation ainsi que du choix de l'objectif dépend ce qui sera montré. C'est ce principe que nous désignerons sous le terme de « localisation ».

Avec elle se détermine le champ du visible : il est délimité principalement par le cadre mais aussi par les objets qui, à l'intérieur du cadre, sont susceptibles de faire obstacle à ma vue (le mur du fond contre lequel vient buter mon regard est un objet du champ visible en même temps qu'il peut, pour cette raison, masquer d'autres objets). Dès lors qu'elle résulte d'une délimitation, l'existence de ce visible implique corrélativement un non visible.

C'est là un phénomène qui ne recouvre pas exactement l'habituelle articulation entre le champ et le hors-champ, car l'opposition entre le visible et le non visible, au-delà de sa dimension proprement perceptive, s'articule, elle, sur un régime de savoir différent. Tandis que le visible est source d'un savoir « assertif » (je vois donc je sais que), le non visible engage un savoir « hypothétique ». Je ne puis qu'émettre des hypothèses sur ce que je ne vois pas : à partir du brouhaha qui monte de la rue et du cri que j'ai entendu, je construis une hypothèse explicative, celle d'un possible drame ; mais celle-ci restera à vérifier pour confirmation ou infirmation.

Montrer, donner à voir, à partir de la localisation, c'est d'abord proposer un ensemble d'informations de caractère assertif ou hypothétique et que je devrai traiter comme telles. En ce sens, montrer c'est aussi « dire », et l'on retrouvera, à propos de la voix, dans le prochain chapitre, cette question. Dans cette perspective, le cinéma offre une configuration quasi inverse de celle du récit écrit : tandis que pour ce dernier la parole est une réalité langagière et le voir une métaphore (le roman ne montre pas, il raconte ce qui est visible), le récit filmique montre réellement mais raconte métaphoriquement (l'image mouvante ne parle pas, néanmoins elle « dit » un certain nombre de choses).

Ainsi, la localisation apparaît d'abord comme une réalité langagière propre au film ; cependant, pour en saisir la fonction véritable, il faut aussi l'envisager dans sa dimension narrative.

Si chaque plan, pris isolément, établit le partage entre le visible et le non visible, entre le savoir assertif et le savoir hypothétique, il le fait en s'insérant dans la chaîne filmique. Ce qui est montré ici et maintenant, dans tel plan particulier, prend aussi son sens par rapport aux plans qui, au sein du syntagme, le précèdent ou le suivent. Cependant, à ce niveau, ce ne sont plus seulement les lois optiques et l'emplacement de la caméra qui définissent le montré, mais un ensemble de choix stratégiques, d'ordre narratif. C'est dire que l'on passe alors au niveau de la « monstration ».

La monstration

Avec elle, les problèmes sont fondamentalement narratologiques, c'est-à-dire à rapporter à l'acte qui consiste à raconter. Un exemple simple permettra de mettre en évidence ce processus. Soit un plan isolé montrant en plongée une rue envahie de badauds. Il règle d'abord, pour son propre compte, le régime du visible et du non visible. On est là dans la localisation. Mais le sens de ce plan ne sera pas le même suivant qu'il sera « objectif » ou « subjectif ». Certes le contenu dénotatif reste le même (une foule de badauds envahissant la rue), mais que cette vue coïncide avec celle de l'enfant (comme dans *Moderato cantabile*) et elle prend une autre valeur : elle dit que, spectateur, je partage enfin le même savoir assertif que les personnages ; elle met fin à la mise à l'écart dont j'étais jusque-là victime.

Un plan, envisagé isolément, comporte ce que l'on pourrait appeler une valeur dénotative (c'est ce qu'il montre), qui relève fondamentalement de la localisation, et une valeur additionnelle résultant de la fonction narrative de ce plan au sein de la chaîne filmique, et qui relève, elle, de la monstration.

Cette dernière gère en fait deux grandes séries de questions :

- Les événements sont-ils vus à partir d'un foyer perceptif, et si oui, lequel ?
- Pourquoi montrer ceci maintenant et pour produire quel savoir ?

Le lecteur familier de ces questions n'aura pas manqué de noter une forte similitude entre ce que nous appelons la monstration et ce que F. Jost (1987) nomme l'ocularisation. Les questions abordées sous ces deux appellations se situent au même niveau narratif ; la différence est d'accent : l'ocularisation se situe du côté du vu, la monstration rappelle que, toujours, le vu résulte d'un montré et donc d'une décision d'ordre énonciatif.

A partir de quel regard le monde diégétique, ses objets et ses événements, sont-ils vus ? Telle est donc la première question que prend en charge la monstration (la seconde, articulée sur le savoir, sera reprise plus loin). En fait il n'existe guère que deux possibilités : soit ce regard est censément situé au sein du monde diégétique, soit il lui est extérieur.

❐ *La monstration interne.* Dans le premier cas, on parlera de monstration interne : ce qu'on me montre est dû à un regard intérieur à la diégèse. La « caméra subjective », suivant l'appellation usuelle, en constitue la figure la plus simple. Dans un premier plan, penché à la fenêtre, l'enfant regarde dans la rue. Au plan suivant, la caméra occupe la place de l'enfant et ce qu'elle montre est censé correspondre à ce qu'il voit. En tant que spectateur, par identification à la caméra, tout se passe, à ce moment-là, comme si je voyais le spectacle de la rue avec les yeux de l'enfant, comme si j'étais donc inscrit dans le monde diégétique.

Bien qu'elles soient moins simples, deux autres modalités de « diégétisation » du regard existent. La première correspond à ce que F. Jost nomme « l'ocularisation interne primaire » : lorsqu'un plan comporte des marques de subjectivité, lorsque ce qui est vu, en raison d'un tremblé de la caméra, d'un angle rare, d'un obstacle en premier plan qui gêne ma vue, etc., semble l'être par un être inscrit dans le monde diégétique. Cependant la présence de ces indices de subjectivité ne me permet pas d'affirmer qu'un tel plan est en monstration interne ; tout au plus ils en suscitent la forte présomption, qui devra être confirmée par d'autres données filmiques.

La seconde correspond à ce qu'on pourrait appeler une « semi-subjectivité ». Soit, en amorce sur le bord du cadre, un personnage de dos regardant droit devant lui un objet au loin : je vois donc ce qu'il voit et je partage sa vision sans pour autant être à sa place. Plan à demi subjectif puisque je vois le sujet regardant mais aussi ce qu'il voit. C'est ici une communauté de l'axe de la vision qui assure la diégétisation de mon regard.

Par ces diverses procédures, la monstration interne tend à résorber la coupure originelle entre l'en-deçà et l'au-delà de l'écran. Elle m'invite à être au plus près des événements, à entrer imaginairement, sinon perceptivement, dans le monde diégétique.

❒ *La monstration externe.* Hormis quelques tentatives systématiques, dont *La dame du lac* (Robert Montgomery, 1947), la monstration interne reste généralement d'usage ponctuel. Le régime le plus ordinaire demeure celui de l'extériorité. Il n'y aurait donc que deux types de vision : interne et externe. Toutefois entre le regard en surplomb, qui a prise sur l'ensemble du monde diégétique (quelque chose comme un regard panoptique et dont l'ange des *Ailes du désir* de Wim Wenders, 1987, par exemple, serait une sorte de métaphore) et celui, limité, n'ayant qu'une vue partielle des événements et personnages (comme dans *L'immortelle* d'Alain Robbe-Grillet, 1963), s'inscrit une sensible différence. Spectateur, j'ai soit le sentiment de tout voir car tout m'est montré, soit l'impression d'un jeu truqué où bien des données me sont cachées. Et dans ce dernier cas le lien entre le vu et le montré devient particulièrement sensible : c'est dans le refus de montrer que l'acte de monstration se manifeste avec force. Aussi distinguera-t-on deux régimes de monstration externe, celle où l'acte d'énonciation est *marqué*, celle où il est *masqué*.

❒ *La monstration externe (à énonciation) masquée.* C'est le régime de vision le plus ordinaire, notamment dans le cinéma narratif classique. Par le choix des angles de prise de vues, le jeu des cadrages, le montage ou encore les mouvements d'appareil, le film me donne le sentiment d'avoir un point de vue optimum sur le monde diégétique. Point d'ombre ou de recoins dissimulés. Et, lorsque cela se produit, je sais que ce n'est que momentané, que très vite je recouvrerai la vue. Le film me place en situation de vision panoptique et, par là, en situation de savoir maximum.

❒ *La monstration externe (à énonciation) marquée.* Lorsque l'enfant (aux côtés de sa mère et du professeur) pour la première fois se penche à la fenêtre et que la caméra reste obstinément au centre de la pièce, j'éprouve un sentiment de frustration : je le vois en train de voir ce que je ne peux pas voir. Le vu m'est refusé, je prends conscience de la monstration en tant qu'acte d'énonciation. Je suis alors en situation de véritable extériorité, comme si le film, à ce moment-là, me maintenait en marge du monde diégétique. Le hors-champ, et d'une façon plus générale le hors-vu, précisément cet espace sur lequel je n'ai pas de prise, deviennent le lieu où se concentre le sens. Entre le monde diégétique et moi s'instaure une distance.

Parfois, et paradoxalement, c'est au contraire un « trop montré » qui joue ce rôle. Dans *Le salaire de la peur*, lors de la séquence finale, la valse zigzagante et joyeuse du camion (d'un bord à l'autre de la route escarpée) entraîne la caméra dans un mouvement de balancement de plus en plus ample, soulignant comme par redondance la joie de Mario. L'activité connotative du mouvement d'appareil (il exprime l'euphorie de la réussite) s'accompagne, au niveau dénotatif, d'une évidente marque d'énonciation. Néanmoins l'effet produit reste celui d'une sorte de mise à distance : je ne m'identifie pas totalement à la joie de Mario puisque ce mouvement de caméra, redoublant les zigzags du camion, me dit la menace de l'accident qui le guette.

C'est en raison de cet effet de distanciation que la monstration marquée se distingue nettement de la monstration masquée. Là où celle-ci me donne le sentiment d'une fusion scopique avec le monde diégétique et d'avoir ainsi prise sur lui, celle-là me refuse la plénitude fusionnelle.

Si la localisation, en raison des lois optiques et de la perspective construit l'œil spectatoriel, il appartient à la monstration de transformer celui-ci en regard : regard inséré dans le monde diégétique avec la monstration interne, regard de l'extérieur avec la monstration externe, toutefois selon deux régimes bien différents suivant que l'acte de monstration est masqué ou marqué. A l'évidence ces diverses modalités de la vision détermineront pour une large part mon accès au savoir sur le récit en cours. Pour une large part seulement, puisque du savoir me parvient aussi par l'intermédiaire des autres matières de l'expression. Mais de quel savoir s'agit-il ou, plus précisément, quel en est l'objet ?

❐ *La polarisation.* Si dans *Viridiana* (Luis Buñuel, 1961), par exemple, je reconnais sous le festin orgiaque des mendiants une citation manifeste de la Cène, cela signifie que je mobilise un savoir culturel de nature intertextuelle. Or celui-ci ne relève pas du réglage narratif qu'est la « polarisation ». Je possède ou non, dans mon « encyclopédie personnelle », les références qui me permettent d'établir le lien entre la scène vue et la Cène. Il en va de même lorsque j'ai besoin, pour comprendre certaines allusions, de connaître le contexte historique de référence. Dans *La guerre est finie* (A. Resnais, 1966) Diego s'étonne de la présence de nombreux autobus ;

ce sont des cars de touristes qui, pour Pâques, franchissent la frontière espagnole, lui explique son « passeur ». Le film fait alors référence à une situation historiquement datée, celle où le franquisme, pour renflouer son économie, jouait la carte du développement touristique.

Le savoir que gère la « polarisation » a lui pour objet le monde diégétique : qu'est-ce que j'apprends, comment et quand, sur la situation spatiotemporelle, sur les personnages, leurs caractères, leurs motivations, leurs désirs, etc. ? En ce sens il engage diverses stratégies et se déroule suivant diverses modulations.

Une organisation complexe : trois pôles

Le terme de « polarisation » retenu ici peut surprendre puisque l'usage narratologique depuis Gérard Genette, pour désigner le niveau où se règle le savoir spectatoriel, a plutôt consacré le mot « focalisation ». Deux raisons justifient ce choix. La première, négative, considère que pour désigner une activité essentiellement cognitive, le terme de focalisation fait encore trop référence à l'idée d'un foyer perceptif. La seconde, positive, tient à l'organisation triangulaire des partenaires impliqués dans le réglage du savoir. De Jean Pouillon à Gérard Genette en passant par Tzvetan Todorov et quelques autres, c'est plutôt sur une relation duelle entre les personnages et le narrateur qu'était fondée l'analyse ; or, dans la logique de la monstration (le montré comme résultat d'un choix et d'une décision), il convient d'introduire un troisième partenaire : le spectateur.

☐ **Les trois pôles du savoir.** C'est donc autour de trois pôles, l'énonciateur, les personnages, le spectateur, que s'organise le réglage du savoir. Or celui-ci s'alimente à de multiples sources : bruitage, verbal, musical et mentions écrites, qui s'articulent sur l'acte premier qu'est la monstration. La polarisation devra donc prendre en compte l'ensemble de ces données.

Des trois partenaires, l'un bénéficie d'un statut privilégié, l'énonciateur, puisqu'il a la maîtrise du jeu. En ce sens, s'il est apparemment logique de se demander, comme le fait Todorov, si le narrateur en sait moins, autant ou plus que le personnage, on n'oubliera pas qu'il fait *comme si*. En réalité, il en sait toujours plus que le spectateur et les personnages puisqu'il est à l'origine du récit. Mais c'est dans ce « comme si » que se glisse la possibilité du jeu narratif. Une précision encore : s'il peut faire comme s'il en savait autant, il ne peut jouer à en savoir moins, sinon à endosser le rôle d'un pseudo-narrateur, comme dans *Trans-Europ-Express* (A. Robbe-Grillet, 1966) ou *Huit et demi* (F. Fellini, 1963). Mais dans ce cas, le personnage qui tient le rôle de l'énonciateur-narrateur n'est évidemment pas l'énonciateur réel qui règle le savoir.

A tout moment du film je peux en savoir, par exemple, plus que les personnages mais moins que l'énonciateur (abréviation : En). La relation d'inégalité/égalité de savoir offre alors la combinaison théorique suivante :

1) $En > Sp < P$ 2) $En > Sp = P$ 3) $En > Sp > P$
4) $En = Sp < P$ 5) $En = Sp = P$ 6) $En = Sp > P$

On notera tout de suite que la combinaison 4 est impossible puisqu'elle revient à admettre qu'un personnage pourrait en savoir plus, sur le monde diégétique, que l'énonciateur. Les combinaisons 1 (En > Sp < P), 5 (En = Sp = P) et 6 (En = Sp > P), en revanche, correspondent aux trois polarisations de base : polarisation-énonciateur (où l'énonciateur apparaît manifestement comme le détenteur du savoir), polarisation-personnage (où le savoir coïncide avec celui du personnage), polarisation-spectateur (où le spectateur a la maîtrise du savoir).

Les combinaisons 2 et 3 décrivent, elles, des variantes affaiblies de la polarisation-énonciateur. Le savoir relève encore de son autorité mais il ne me place pas en situation de totale infériorité. Ainsi, à la combinaison 2, renvoie le premier moment de *Moderato cantabile* lorsque l'enfant, sa mère et le professeur sont tout aussi intrigués que moi, spectateur, par le long cri d'agonie qui envahit le salon. J'ignore l'origine de ce cri, mais je partage cette ignorance avec les personnages, alors qu'un peu plus tard ils sauront, eux, tandis que j'ignorerai. La combinaison 3 assure encore la suprématie de l'énonciateur puisqu'il en sait manifestement plus que moi, cependant j'en sais davantage que les personnages. Il en va ainsi durant le générique de *Shining* (Stanley Kubrick, 1980). Les longs travellings qui accompagnent en surplomb le déplacement de la voiture dans son trajet ascensionnel vers l'hôtel « Overlook » me suggèrent les dangers à venir. Je sais donc (ou du moins je pressens) l'existence d'un péril, ce qu'ignorent à ce moment-là les personnages, mais j'ignore la nature exacte du danger ; ce que l'instance énonciatrice, elle, sait.

Polarisation et monstration

Existe-t-il entre les trois modalités de la monstration et les trois types de polarisation une correspondance constante ? Ou, pour le formuler autrement, telle monstration correspond-elle à telle polarisation ? A vrai dire, plutôt que de correspondance, il serait préférable de parler d'affinité. A l'évidence la monstration externe (à énonciation) masquée, par exemple, favorise la polarisation-spectateur dès lors qu'elle lui donne le sentiment de posséder un savoir optimum sur le monde diégétique. Néanmoins cette relation pourra être modifiée, voire contredite, par les autres sources de savoir : bruitage, verbal, musique ou mentions écrites. Cela signifie que la polarisation, même si elle est susceptible d'entretenir des relations affinitaires avec telle ou telle monstration, doit d'abord être définie par rapport au savoir et seulement par rapport à cela.

❏ *La polarisation-personnage.* Au sens strict elle se caractérise par le fait que j'en sais autant (ni plus, ni moins) que le personnage, et que l'énonciateur au même moment semble n'en pas savoir davantage. Je suis donc à égalité de savoir avec lui, à partir de qui en outre s'organise le récit.

Ce sera souvent le cas lorsqu'en voix intérieure (alors que je le vois de l'extérieur) un personnage paraît s'adresser directement à moi. Le début de *La dame de Shangaï* (Orson Welles, 1946) est, à cet égard, parfaitement éclairant : je connais le monde diégétique dans lequel je pénètre à partir du point de vue qu'en a le héros. Je sais ce qu'il sait et qu'il me fait partager.

La monstration interne, bien entendu, entretient une relation privilégiée avec cette polarisation puisque son regard, source de savoir, est aussi le mien. D'autres cas de figure se rencontrent aussi, plus rares. Cette scène des *Amants du Capricorne* (Alfred Hitchcock, 1949) par exemple. Elle débute par un très gros plan, dans le dos d'un personnage, sur deux mains serrant un collier. Bientôt, alors que le personnage s'éloigne de quelques pas, je reconnais Sam, l'époux de Hattie. Celle-ci en compagnie de Charles s'apprête à se rendre au bal. La caméra, manifestement, me propose un point de vue privilégié en restant cadrée dans le dos de Sam tandis que me parvient le dialogue entre les trois personnages. J'entends alors les propos déplaisants de Hattie sur le collier dont elle ignore la présence dans le dos de Sam ; ce que je sais, moi, en raison de mon point de vue privilégié. Je perçois alors l'ensemble de la scène dans la perspective de Sam, et je ressens toute l'humiliation qui peut être la sienne. C'est donc ici à partir d'une monstration à énonciation marquée, conjuguée avec le verbal, qu'est produit l'effet de polarisation sur un personnage.

❐ *La polarisation-spectateur.* Elle se caractérise par le fait que le spectateur a le sentiment d'être en situation d'omniscience ; ce qui signifie qu'il en sait plus que les personnages et autant que l'énonciateur. Bien entendu, à tout moment je puis recevoir un démenti : alors que je croyais savoir tout ce qu'il faut savoir, je peux me rendre compte que l'énonciateur m'avait caché certaines informations.

On conçoit aisément que la monstration à énonciation masquée entretienne des relations privilégiées avec ce type de polarisation. Ce sentiment d'omniscience sera particulièrement sensible chaque fois que, monstration et autres sources d'informations réunies, je saurai manifestement que j'en sais plus que les personnages (et autant que l'énonciateur). Que je voie de face un personnage et que je voie, dans le même temps, qu'un danger le guette sans qu'il le sache, alors je serai classiquement conforté dans mon sentiment de supériorité cognitive.

❐ *La polarisation-énonciateur.* Chaque fois que j'aurai le sentiment que l'énonciateur est le détenteur véritable du savoir, et donc que s'affiche mon infériorité cognitive, je serai en polarisation-énonciateur. Celle-ci du reste comporte deux degrés : je sais que j'en sais moins que l'énonciateur et que je partage probablement cette ignorance avec les personnages ; je sais que j'en sais moins que l'énonciateur et moins que les personnages. Dans ce dernier cas ma situation d'ignorance est naturellement la plus marquée. C'est l'exemple que j'ai déjà évoqué à propos de *Moderato cantabile*, lorsque l'enfant, sa mère et le professeur se penchent à la fenêtre et que la caméra reste ostensiblement au centre du salon. J'attends alors d'eux la réponse à mes interrogations. On conçoit que la monstration à énonciation marquée soit l'opérateur privilégié de cette polarisation.

L'effet sera moindre lorsque je partagerai mon ignorance avec les personnages : une sorte de solidarité narrative m'unit à eux. Qu'un bruit étrange et menaçant parvienne du hors-champ et que sa source me soit tout aussi invisible qu'elle l'est pour le personnage, et nous serons tous les deux dans la même attente inquiète. Quoique estompée par cette identification au personnage, la prédominance cognitive de l'énonciateur s'affiche encore clairement.

Ainsi la polarisation-énonciateur me rappelle avec quelque insistance que le récit filmique est un récit, et qu'en tant que tel il est le produit d'une source-origine, dont la réalité sera interrogée d'ici peu, dans le prochain et dernier chapitre.

Le passage du perçu au connu, constitutif du savoir spectatoriel, procède donc d'un ensemble d'opérations complexes néanmoins rigoureusement réglées. La localisation, à chaque plan, construit le visible/invisible qui sera ensuite, au niveau de la séquence, organisé en regard sur le monde diégétique. La prise en compte d'autres sources de savoir (verbal, bruit, musique ou mentions écrites), articulées sur la monstration, permet d'accéder enfin au savoir. La polarisation, en organisant l'information autour de trois pôles différents, l'énonciateur, le personnage et le spectateur, introduit alors le jeu des stratégies narratives.

Ce sont elles en définitive qui sont essentielles car en même temps qu'elles gèrent mon accès au savoir diégétique, elles déterminent la nature de mon implication affective au cours du récit. Or c'est probablement elle, en dernière analyse, qui a la haute main sur mon plaisir de spectateur.

TEXTE

■ **Narrateur, personnages et savoir**

Légèrement antérieures à celles de Gérard Genette, les propositions de Tzvetan Todorov sur le « point de vue » ont contribué à faire de cette question un point central de la réflexion narratologique. Depuis, d'autres travaux (notamment dans le cadre de la narratologie filmique) ont fait sensiblement évoluer cette question, accentuant le caractère fondateur du texte de Todorov.

Le narrateur, c'est le sujet de cette énonciation que représente un livre. [...] C'est lui qui dispose certaines descriptions avant les autres, bien que celles-ci les précèdent dans le temps de l'histoire. C'est lui qui nous fait voir l'action par les yeux de tel ou tel personnage, ou bien par ses propres yeux, sans qu'il lui soit pour autant nécessaire d'apparaître sur scène. C'est lui, enfin, qui choisit de nous rapporter telle péripétie à travers le dialogue de deux personnages ou bien par une description « objective ». Nous avons donc une quantité de renseignements sur lui, qui devraient nous permettre de le saisir, de le situer avec précision ; mais cette image fugitive ne se laisse pas approcher et elle revêt constamment des masques contradictoires, allant de celle d'un auteur en chair et en os à celle d'un personnage quelconque. [...]

J. Pouillon a proposé une classification des aspects du récit, que nous reprendrons ici avec des modifications mineures. Cette perspective interne connaît trois types principaux.

NARRATEUR > PERSONNAGE (la vision « par-derrière »). Le récit classique utilise le plus souvent cette formule. Dans ce cas, le narrateur en sait davantage que son personnage. Il ne se soucie pas de nous expliquer comment il a acquis cette connaissance : il voit à travers les murs de la maison aussi bien qu'à travers le crâne de son héros. Ses personnages n'ont pas de secrets pour lui. Évidemment, cette forme présente différents degrés. La supériorité du narrateur peut se manifester soit dans une connaissance des désirs secrets de quelqu'un (que ce quelqu'un ignore lui-même), soit dans la connaissance simultanée des pensées de plusieurs personnages (ce dont aucun d'eux n'est capable), soit simplement dans la narration des événements qui ne sont pas perçus par un seul personnage. [...]

NARRATEUR = PERSONNAGE (la vision « avec »). Cette seconde forme est tout aussi répandue en littérature, surtout à l'époque moderne. Dans ce cas, le narrateur en sait autant que les personnages, il ne peut pas nous fournir une explication des événements avant que les personnages ne l'aient trouvée. Ici aussi on peut établir plusieurs distinctions. D'une part, le récit peut être mené à la première personne (ce qui justifie le procédé) ou à la troisième personne, mais toujours suivant la vision qu'a des événements un même personnage : le résultat évidemment n'est pas le même ; nous savons que Kafka avait commencé à écrire le *Château* à la première personne, et il n'a modifié la vision que beaucoup plus tard, passant à la troisième personne mais toujours dans l'aspect « narrateur = personnage ». D'autre part, le narrateur peut suivre un seul ou plusieurs personnages (les changements pouvant être systématiques ou non). Enfin, il peut s'agir d'un récit conscient de la part d'un personnage ou d'une « dissection » de son cerveau, comme dans beaucoup de romans de Faulkner [...].

NARRATEUR < PERSONNAGE (la vision « du dehors »). Dans ce troisième cas, le narrateur en sait moins que n'importe lequel des personnages. Il peut nous décrire uniquement ce que l'on voit, entend, etc., mais il n'a accès à aucune conscience. Bien sûr, ce pur « sensualisme » est une convention car un tel récit serait incompréhensible ; mais il existe comme modèle d'une certaine écriture. Les récits de ce genre sont beaucoup plus rares que les autres, et l'utilisation systématique de ce procédé n'a été faite qu'au vingtième siècle. Citons un passage qui caractérise cette vision :

« Ned Beaumont repassa devant Madvig et écrasa le bout de son cigare dans un cendrier de cuivre avec des doigts qui tremblaient.

Les yeux de Madvig restèrent fixés sur le dos du jeune homme jusqu'à ce qu'il se fût redressé et retourné. L'homme blond eut alors un rictus à la fois affectueux et exaspéré. » (D. Hammett, *La clé de verre*).

D'après une telle description nous ne pouvons savoir si les deux personnages sont des amis ou des ennemis, satisfaits ou mécontents, encore moins à quoi ils pensent en faisant ces gestes. Ils sont même à peine nommés : on préfère dire « l'homme blond », « le jeune homme ». Le narrateur est donc un témoin qui ne sait rien et, plus même, ne veut rien savoir. Pourtant l'objectivité n'est pas aussi absolue qu'elle se voudrait (« affectueux et désespéré »).

Tzvetan Todorov, « Les catégories du récit littéraire », *Communications*, n° 8, 1966, pp. 141-142, 146.

8

Les voix du film

Longtemps je me suis couché de bonne heure. Parfois, à peine ma bougie éteinte, mes yeux se fermaient si vite que je n'avais pas le temps de me dire : « Je m'endors ». Et, une demi-heure après, la pensée qu'il était temps de chercher le sommeil m'éveillait [...]

Dans la plaine rase, sous la nuit sans étoiles, d'une obscurité et d'une épaisseur d'encre, un homme suivait seul la grande route de Marchiennes à Montsou, dix kilomètres de pavés coupant tout droit, à travers les champs de betteraves. Devant lui, il ne voyait même pas le sol noir [...]

Dès les premiers mots, *A la recherche du temps perdu* et *Germinal* font entendre leur voix singulière, unique, fragile et intimiste pour l'une, assurée et directe pour l'autre. Chacune fait éprouver ses particularités, sa couleur, ses vibrations propres aussi. Certes elles parlent de deux mondes différents, mais ce n'est pas de là qu'elles tirent leur différence, plutôt de leur manière de s'adresser au lecteur : sur le mode de la confidence pour l'une, sur le mode déclaratif pour l'autre.

Qui parle dans le roman ? Qui s'adresse à moi ? On comprend que la question de la voix narratrice soit devenue très tôt un objet d'interrogation en littérature. Mais la question, transposée au cinéma, a-t-elle encore un sens puisque la fonction première de ce dernier est de montrer ?

Cependant le récit filmique raconte et, ce faisant, d'une certaine manière, il parle. Ces images et ces sons s'adressent bien à moi, qui suis là, dans la pénombre de la salle. En même temps ces images, ce monde qui s'inscrit sur l'écran, semblent être là d'eux-mêmes, dans l'évidence de leur présence. Certes des voix se font entendre, celles des comédiens ou celles anonymement *off*, mais elles ne sont pas seules à parler ; quelque chose d'autre se dit dans l'agencement de la matière filmique. Mais quelque chose d'assez difficile à cerner, comme si la voix narratrice ne pouvait s'exprimer qu'à travers les masques dont elle s'affuble. Alors si l'on souhaite, au cinéma, tenter de répondre à la question « qui parle ? », il ne faudra pas craindre de donner au verbe « parler » une valeur métaphorique.

Les voix de la fiction

En réalité, depuis toujours, le cinéma recourt à la langue, à l'aide des inter-titres (avec ces cartons qui, à l'époque du muet, commentent ou précisent l'action) ou même des simples titres donnés aux « vues » (les divers cata-logues des films Lumière sont à cet égard tout à fait significatifs), à l'aide ensuite, dès l'avènement du « parlant », des paroles, celles des person-nages comme celles du commentaire. Ce sont là de véritables voix qui s'adressent au spectateur et entrent en communication avec lui.

Néanmoins, dans cette perspective, il y a lieu de distinguer entre elles, et même doublement. Suivant qu'elles appartiennent au régime de l'écrit ou de l'oral d'abord, suivant que les paroles, ensuite et surtout, s'échangent au sein du monde diégétique (des personnages dialoguant, par exemple) ou qu'elles visent directement le spectateur (le commentaire *off*, par exemple).

De l'écrit à l'oral, une différence s'impose avec quelque évidence : dans l'un « ça » parle à l'œil, dans l'autre « ça » parle à l'oreille, et la voix pos-sède une réelle présence physique. Le mode d'appel au spectateur n'est pas le même. En devenant sonore, le cinéma, non seulement s'adjoignait une dimension supplémentaire, mais encore il modifiait sensiblement son mode de communication avec le spectateur ; il accédait à l'ère de l'oralité.

❒ **La langue du cinéma muet.** Quand, à l'époque du muet, surgissait un carton explicatif ou sur lequel s'inscrivaient les paroles échangées par les personnages, il suspendait momentanément l'image animée, invitant le spectateur à une sorte de lecture clignotante. D'une certaine manière on pourrait penser que le mode d'adresse au spectateur y était beaucoup plus sensible puisque plus brutal. Pourtant ce n'est pas certain. D'une part l'ho-mogénéité matérielle était maintenue (c'était toujours du visuel), d'autre part le caractère abrupt de l'intervention des cartons était corrigé, sinon effacé, dès lors que ceux-ci apportaient des réponses à mes interrogations sur l'histoire en cours. Dans la pénombre de la salle, entre le spectateur et le film, s'instaurait une sorte de dialogue secret.

Depuis l'avènement du parlant, ce n'est plus à moi d'aller déchiffrer ce qui est inscrit sur l'écran, cela me parvient directement, s'impose à mes tympans. En un sens, bien qu'il ne suspende pas l'activité de la bande-images, le verbal a quelque chose de plus brutal que l'écrit. Plus précisément, par sa réalité et sa présence physique, la voix touche plus directement ma sensibilité ; il y a, dans la vie comme au cinéma, des timbres (des « grains » comme disait Roland Barthes) que j'aime, d'autres qui provoquent mon agacement. Encore que l'effet ne soit pas de même importance selon que la voix est celle des personnages dialoguant ou celle d'un commentateur.

Le mode d'adresse au spectateur n'y est pas le même, aussi bien avec l'écrit qu'avec l'oral du reste. Lorsque les cartons transcrivent les propos qui s'échangent, ils répondent directement à mes questions : sur l'écran je vois les personnages parler ; parfois je devine, à leur mimique, à leurs gestes, à leurs réactions, ce qu'ils peuvent se dire mais seule la transcription graphique attestera ou non mes hypothèses. Ils répondent donc à ma demande implicite (encore que souvent, en excédant celle-ci, ils puissent être ressentis comme importuns).

Lorsqu'au contraire les cartons rapportent des précisions quant à la diégèse (de date, de lieu, de cause, etc.), ils m'informent directement (ce sont véritablement des « informants » au sens de Roland Barthes, 1976). Ils me fournissent comme un surcroît – bien souvent nécessaire – de savoir.

J'ai alors le sentiment très fort que l'on me parle, que je suis le destinataire de ces mentions écrites, qu'elles m'élisent comme interlocuteur. Une sorte de connivence s'établit, par-dessus la tête des personnages, entre le film et moi.

❒ *La langue du cinéma parlant.* Cette différence se retrouve avec le « parlant » ; s'y ajoute cependant la présence de la voix et ses implications affectives. Car, on le sait (voir Chion, 1982), le paysage sonore n'est pas uniforme ; l'un de ses composants bénéficie d'un statut singulier : la voix. Pour plusieurs raisons. D'abord parce qu'elle se manifeste le plus souvent pour faire usage de la langue et fournir ainsi de multiples informations sur l'histoire en cours. Ensuite et surtout parce qu'elle possède au plus haut degré les marques de l'humain (que l'on songe, par exemple, à la force d'humanisation que la voix donne aux figures graphiques du dessin animé), et qu'à ce titre elle active les processus d'identification du spectateur.

La différence de régime d'adresse entre le direct (le commentaire *off*, par exemple) et l'indirect (les dialogues notamment) n'en sera que plus sensible. Dans ce dernier cas je suis en situation de relative extériorité.

L'échange verbal a lieu entre les protagonistes de la scène et je n'en suis que le témoin. Plus précisément, chaque personnage prend celui qui lui fait face comme allocutaire et ignore ma présence. Les paroles qu'il prononce sont destinées à l'autre, pas à moi. Toutefois je ne suis pas exclu totalement puisque quelque chose m'est destiné, l'ensemble de la scène (image + verbe) dont je suis le seul véritable allocutaire. Les voix, dans leur réalité physique, prennent alors un sens particulier : elles sont des attributs des personnages. Qu'un timbre me soit agréable et je porterai cette qualité au compte de celui qui paraît la posséder (qui « paraît » et non qui la possède, en raison de la fréquente pratique du doublage). Ainsi chaque film me propose une sorte de constellation de voix dont chacune a sa propre musicalité et qui ensemble participent des harmoniques du film lui-même, qu'elles soient de nature visuelle ou sonore.

Il en va différemment avec la voix du commentaire parce que celle-ci s'adresse directement à moi ; encore qu'il faille ici distinguer entre le personnage commentateur (le début de *La dame de Shangaï*, par exemple), dont l'interpellation est atténuée, et le commentaire anonyme. Pour qui ce dernier parle-t-il, sinon pour moi ? Il est alors moins la voix des personnages que la voix du film. A certains égards il tend même à apparaître comme la voix narratrice première. En un sens il m'interpelle, mais sans éclat, plutôt sur le mode de l'accompagnement. Que l'on songe par exemple à la voix que l'on entend dans *Jules et Jim* (François Truffaut, 1962). C'est à moi qu'elle parle, qu'elle fournit des indications sur l'évolution du trio, mais elle ne le fait pas frontalement ; plutôt latéralement, comme si là, dans l'ombre, elle me confiait des informations supplémentaires pour que j'en fasse le meilleur usage.

Cependant il advient, et fort souvent même, que la voix commentatrice ait le verbe haut, qu'elle m'interpelle ouvertement, particulièrement en régime documentaire ou dans le film didactique. C'est qu'alors elle n'est plus astreinte aux obligations de l'effet-fiction. Comme on l'a vu au cours du chapitre 3, le monde diégétique que propose la fiction est censé être auto-suffisant, posséder sa cohérence interne. Dès lors que la voix commentatrice enjambe ce monde diégétique pour venir s'adresser à moi, le risque est grand de la voir rompre l'effet-fiction ; or ce risque n'est plus le même dès lors qu'il n'y a plus, comme en régime documentaire, à préserver le pacte de la fiction.

Cela explique l'importance des qualités propres à la voix commentatrice dans le film narratif. Elle parle directement à mon affectivité ; si elle m'est désagréable – ou inversement – c'est le film tout entier qui pourra en être affecté. Diction, timbre, accent, élocution, débit seront réglés de manière à susciter une relation d'adresse et d'écoute qui m'implique dans la fiction, sans pour autant que cette voix apparaisse pour ce qu'elle est, à savoir en marge de cette même fiction.

Ainsi le film me parle, du moins – j'en ai le sentiment – il s'adresse à moi, et au premier degré par le truchement du verbe (dans sa forme écrite aussi bien qu'orale). Mais ce n'est là qu'une des manifestations d'un processus plus complexe.

La question de la narration

Hormis les voix, y a-t-il dans le récit filmique quelqu'un qui « parle » ? Est-il possible d'appliquer au cinéma la formule de Roland Barthes (1976) : « *qui parle* (dans le récit) n'est pas *qui écrit* (dans la vie) et *qui écrit* n'est pas *qui est* » afin de distinguer le narrateur, l'auteur et la personne ? Depuis quelques années, plus ou moins en parallèle avec le développement qu'elle reçoit dans le champ littéraire, la question du narrateur est devenue objet d'analyse pour la narratologie filmique. Il est vrai que l'acte premier, celui qui consiste à montrer, à donner à voir (et non à faire usage de la langue), ne manque pas de soulever des difficultés sinon à assimiler la monstration à la narration.

Ces difficultés tiennent d'une part à la dimension langagière elle-même. La langue, on le sait, possède ses propres marques d'énonciation (en particulier ce que l'on appelle les « déictiques ») qui permettent au narrateur de se manifester en tant que tel : une phrase comme « Longtemps je me suis couché de bonne heure » désigne, grâce au « je », celui qui l'énonce ; le sujet qui parle est d'une certaine manière présent dans son discours. Le cinéma, en tant que langage, et particulièrement au niveau de l'image, ne possède pas de marques spécifiques de l'énonciation. En revanche, en tant que texte, en tant que suite organisée d'images et de sons, en tant que récit, il est susceptible de produire des agencements, des figures, désignant ou renvoyant à l'acte d'énonciation. On en a déjà rencontré un exemple au chapitre précédent avec la « monstration à énonciation marquée ».

D'autre part, il y a la question même du narrateur. Comment formuler, par exemple, la manière dont le film s'adresse à moi ? Puis-je traduire cela par la formule : « quelqu'un me parle » ? Le plus souvent j'ai au contraire le sentiment que les objets que je vois, sur l'écran, sont là d'eux-mêmes, comme s'ils se donnaient eux-mêmes à voir. Je les vois parce qu'ils sont là, mais disant cela j'oublie que s'ils sont là c'est qu'on me les montre (c'est la différence entre l'ocularisation et la monstration). Nous soulignons « on » me les montre ; le recours au pronom indéfini traduit bien l'embarras qu'il y a à désigner la source de l'acte d'énonciation. C'est même l'un des points de divergence actuel des chercheurs.

Sans entrer dans le détail (qui n'a d'intérêt que pour les chercheurs eux-mêmes), deux positions résument assez bien le débat. Soit l'on considère qu'il est possible de poser la question de l'énonciation en suivant, avec les adaptations nécessaires, le modèle linguistique (Francesco Casetti, 1990, serait un bon exemple de cette tendance), soit, au contraire, on considère que la spécificité du médium cinématographique est telle qu'elle implique un modèle propre (c'est la position de Christian Metz, 1991, notamment).

A l'évidence au cinéma, dans la pénombre de la salle, on s'adresse à moi, bien que cette « adresse » ne soit pas constamment sensible (voir la « monstration à énonciation masquée »). Pour autant je ne puis en déduire que quelqu'un me parle. La formule la plus approchante serait probablement : « ça parle et ça me parle », particulièrement pour le film qui raconte. Je vais au cinéma pour écouter/suivre une histoire, et il faut bien qu'elle soit racontée puisqu'elle ne peut se raconter toute seule (même si souvent le film tente d'en donner l'illusion). Qui donc raconte ? Qui est, pour reprendre la formulation de Roland Barthes, « le donateur du récit » ? Le réalisateur, le metteur en scène ? En un sens oui. Mais ce renvoi vers l'auteur escamote la question spécifique du « qui parle » et ne permet pas en conséquence de comprendre comment ça raconte.

Le dispositif de la narration

Au cinéma, en raison de la diversité des matières de l'expression, le « donateur du récit » affiche une réelle complexité et doit être envisagé d'une façon différente de celle propre au roman ou la nouvelle.

❐ *Le donateur du récit et ses tâches.* Toutefois commençons par une précision : ce « donateur » n'est pas une personne. Il est une instance, c'est-à-dire une figure abstraite, dégagée de tout anthropomorphisme, définie par le type d'opérations qu'elle prend en charge. Bien que les événements montrés à l'écran puissent sembler « avoir lieu », et non pas « être racontés », il faut bien qu'ils aient été agencés de manière à produire précisément cet effet. Il faut bien qu'ils soient racontés ainsi. En ce sens poser la question du « donateur » du récit filmique ce n'est pas tant s'engager à dessiner son visage que chercher à comprendre la nature des opérations dont cette instance a la charge.

Au reste le problème n'est pas neuf. Déjà Albert Laffay (1964) avait proposé d'appeler « grand imagier » cette figure du donateur. Plus récemment, André Gaudreault (1986) avançait les termes de « narrator » et de « méga-narrateur ». Christian Metz (1991), lui, préfère parler de « foyer ». Au-delà de cette apparente querelle sur les mots se dessinent en fait diverses conceptions de la fonction du « donateur ». Comment est-il présent dans le film ? Quelles tâches spécifiques accomplit-il ? Telles sont les questions auxquelles il convient d'apporter des réponses.

Les distinctions du chapitre précédent permettent déjà une première approche : c'est au « donateur » que revient le soin de régler le savoir du spectateur. Or ce savoir, on l'a vu, prend appui à la fois sur le montré, sur le « donné à entendre » et sur l'articulation des deux. Le « donateur » (que nous appellerons d'ici peu l'énonciateur) sera donc cette instance qui prend en charge, afin de raconter, l'agencement et l'articulation des diverses sources d'expression filmique. Au « grand imagier », trop étroitement lié à la seule dimension visuelle, il serait alors préférable de substituer, pour rester dans le domaine de la métaphore, l'image du chef d'orchestre.

Cela signifie que les choix et décisions concernant le montré d'une part, le « dit » d'autre part, pourraient être délégués à des « sous-instances ».

Afin d'être moins abstrait prenons l'exemple du début de *Fenêtre sur cour* (A. Hitchcock, 1954). Un premier lent panoramique, sur fond musical, parcourt un groupe d'immeubles entourant une cour intérieure pour s'achever, en gros plan, sur le visage en sueur de James Steward. Ensuite une série de plans, dont un nouveau long panoramique, saisit de petites scènes de la vie privée, tandis que l'on entend quelques propos diffusés par un poste de radio, bientôt relayés par un air de musique. La chaleur exceptionnelle qui règne ce jour-là conduit chacun à vivre dehors ou toutes fenêtres ouvertes, facilitant ainsi l'accès à l'intimité des appartements. Enfin un travelling arrière découvre James Steward, immobilisé, la jambe dans le plâtre (sur lequel est inscrit son nom : Jefferies), avant de parcourir la pièce où il vit et de comprendre à l'aide de divers indices (photos épinglées, appareils de prises de vues, agrandissement d'un négatif) qu'il est photographe de profession.

Manifestement, en raison du caractère descriptif de la scène, la monstration occupe une fonction privilégiée. En ponctuant son mouvement de quelques arrêts (sur le couple qui se réveille, sur l'homme qui se rase, la jeune femme esquissant quelques pas de danse), le panoramique sélectionne ce qui doit être vu. Non seulement il montre mais encore il accompagne ce geste d'une certaine ostentation. A l'évidence « ça me montre ». Dans le même temps, l'intervention de la voix et de la musique radiodiffusées (tout en apportant son propre lot d'informations sur le monde ainsi décrit) coïncide assez exactement avec les « événements » visuels, un peu trop exactement même. En ces toutes premières minutes, beaucoup de choses me sont données à voir et à entendre et j'ai le sentiment que cela n'est pas fortuit. Le caractère parfaitement concerté de cette description rend sensible la présence, derrière tout cela, d'un maître d'œuvre. Certes j'assiste, de l'extérieur, au spectacle du monde diégétique mais sous la conduite d'un donateur.

Pour rendre compte de ce double processus il importe de revenir sur la distinction déjà évoquée entre la monstration et la narration. De la première relève le donné à voir et à entendre ; quant aux opérations d'agencements (impliquant la matière sonore aussi bien que visuelle) destinées à produire du récit, elles ressortissent de la narration. Chacune (parce qu'elles correspondent à des tâches spécifiques) se place sous l'autorité d'une instance – plus précisément d'une sous-instance : le monstrateur, le narrateur. A leur tour, toutes les deux sont gérées et articulées par une instance de rang supérieur que j'appellerai l'énonciateur, et qui correspond très largement au « grand imagier » de Laffay ou du « narrator » de Gaudreault ou encore à ce que la tradition littéraire appelle « narrateur ».

❒ *Le schéma hiérarchique de l'énonciation.* A la question de Barthes « *qui parle* dans le récit ? », on répondra donc, pour le champ cinématographique : l'énonciateur, étant entendu que celui-ci s'adjoint deux sous-instances ayant en charge respectivement la monstration et la narration (conçue restrictivement comme un ensemble d'opérations d'agencement visant à mettre en récit). Pour être plus complet, il conviendrait d'ajouter une troisième sous-instance, facultative, qui prend en charge la musique extra-diégétique (la musique dite de film ou de fosse, suivant l'expression de M. Chion).

En effet celle-ci intervient de façon particulière : le plus souvent comme en marge, comme si elle commentait à sa façon les événements du monde diégétique. De surcroît sa présence dans le film n'est ni nécessaire ni obligatoire. L'énonciateur décide de s'adjoindre ou non cet auxiliaire narratif. Par référence à la partition musicale mais aussi à l'appareil « destiné à répartir l'eau d'un canal d'irrigation » (dictionnaire Robert), je propose de nommer cette sous-instance : partiteur. La figure complexe du « donateur » prend alors la forme du dispositif suivant :

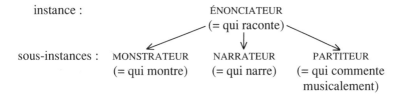

instance : ÉNONCIATEUR
(= qui raconte)

sous-instances : MONSTRATEUR NARRATEUR PARTITEUR
(= qui montre) (= qui narre) (= qui commente musicalement)

C'est précisément à partir de l'activité conjointe de ces diverses sous-instances que différentes stratégies d'adresse au spectateur seront possibles.

Les modes d'adresse

❏ *L'énonciateur maître d'œuvre.* Le premier, probablement le plus courant, consiste à placer le spectateur en position d'extériorité par rapport au monde diégétique, comme si celui-ci existait de lui-même (ce que Christian Metz, 1991, appelle la « voix *in* »). L'énonciateur s'adresse à moi en s'effaçant derrière le monde qu'il propose, sauf à laisser affleurer et faire entendre parfois sa voix par les traces de son activité de « récitant ». C'est ce que l'on a noté dans l'exemple de *Fenêtre sur cour*. L'acte de monstration (notamment par le panoramique discontinu) et l'acte de narration (par la coïncidence un peu trop exacte du visuel et du sonore) disent la présence de l'énonciateur maître d'œuvre.

❏ *Le personnage-narrateur.* Le second consiste à confier explicitement une part de l'énonciation à une figure fictive de narrateur, celle d'un personnage ayant cette fonction ou celle anonyme d'une voix commentatrice (ce qui correspond respectivement à la « voix-je » et à la « voix *off* » de Christian Metz). C'est lui qui paraît être le donateur du récit ; mais ce n'est là qu'un effet produit et géré par celui qui reste l'ordonnateur véritable : l'énonciateur. Toutefois, par le truchement de cette figure narratrice déléguée, le mode d'adresse diffère sensiblement du premier cas. Quelqu'un effectivement me parle, directement ou indirectement. Directement avec la voix anonyme commentatrice, ainsi qu'on l'a vu dans les premières lignes de ce chapitre. Indirectement lorsqu'il s'agit d'un personnage-narrateur.

Ici la situation est un peu plus complexe : tandis que la voix *off* anonyme enjambe le monde diégétique pour venir s'adresser à moi, le personnage-narrateur, parce qu'il parle depuis le monde diégétique auquel il appartient, ne peut s'adresser ouvertement à moi sans, comme on l'a vu, rompre l'effet-fiction. La solution la plus couramment retenue fait du personnage-narrateur un narrateur certes, mais le narrateur d'un autre récit que celui auquel il appartient. C'est classiquement le début de *La dame de Shangaï* : la voix raconte une aventure passée (le personnage-narrateur appartient alors à un espace-temps différent de celui propre aux événements qu'il rapporte). Tout aussi classique, la stratégie qui consiste à faire qu'un personnage raconte verbalement une histoire à d'autres personnages qui l'écoutent ; le verbal étant bientôt relayé par la visualisation des événements. Sur ce modèle se construit *Celles qu'on n'a pas eues* (Pascal Thomas, 1980) par exemple. Les voyageurs d'un même compartiment vont rapporter, chacun à son tour, un souvenir d'enfance. On voit et on entend celui qui raconte ; ensuite commence la visualisation des événements tandis que demeure encore, mais *off*, la voix ; celle-ci enfin s'efface et le récit se poursuit sous la forme audiovisuelle. Ainsi la diégétisation de la voix récitante atténue, parfois jusqu'à l'effacement, l'adresse au spectateur, néanmoins, par ses diverses modulations, elle autorise un jeu narratif plus diversifié.

❐ *Le partiteur.* Accès direct au monde diégétique ou médiatisé par un narrateur délégué, ces deux stratégies peuvent, en outre, s'accompagner ou non de l'auxiliaire « partiteur » qui fonctionne véritablement comme un commentateur. Tout se passe comme si l'énonciateur déléguait au partiteur le soin d'adresser directement au spectateur, par-dessus la diégèse, un discours musical. Ce dernier, en se faisant lyrique, dramatique, enjoué, enthousiaste, langoureux, ironique, etc., me souffle (ou me crie) à l'oreille, à la façon d'un bonimenteur, son propre commentaire sur la scène ou le film en cours.

Toutefois sa présence sera différente selon que le partiteur sera l'auxiliaire délégué par l'énonciateur (figure la plus courante) ou par le personnage-narrateur. Sur ce dernier principe joue, par exemple, Michel Fano dans *Trans-Europ-Express* (A. Robbe-Grillet, 1965). Les fragments musicaux de Verdi (notamment *La Traviata*) qu'il introduit sont en situation extradiégétique par rapport au récit visualisé qu'invente Marc. Le caractère allègrement ironique de ce montage sonore empêche le récit second (celui de Marc) de s'installer dans une forme stable et sérieuse ; et cette mobilité lui permet alors de jouer avec le récit premier dans une relation de constante remise en question de l'un par l'autre.

Trois grandes stratégies d'adresse au spectateur sont ainsi repérables :

a. Présentation directe du monde diégétique construit par le monstrateur et le narrateur (avec recours éventuel au partiteur).

b. Présentation médiatisée par délégation d'une part de l'activité récitante à une voix narratrice (celle-ci pouvant être intra ou extradiégétique).

c. Même figure qu'en b mais la voix narratrice s'adjoint un auxiliaire partiteur.

Ce qui peut se représenter sous la forme du tableau suivant :

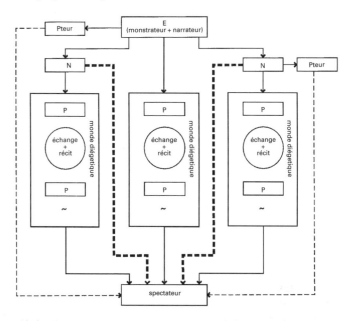

Abréviations

E	= énonciateur
N	= narrateur anonyme
Np	= narrateur-personnage
Pteur	= partiteur
P	= personnages

Symboles

≃	= musique intradiégétique
	= musique extradiégétique
	= verbal extradiégétique

Chacune des trois colonnes représente l'une des stratégies. Au centre, le mode d'adresse le plus courant (a) : l'énonciateur (E) élabore un monde diégétique – comprenant éventuellement des personnages (P) dialoguant ou racontant ainsi que de la musique intradiégétique ($\simeq$) – dont le spectateur est l'allocutaire unique et derrière lequel l'énonciateur s'efface plus ou moins. Je suis seul en présence du film, avec parfois, pour compagne, la musique extradiégétique que dispense le partiteur (Pteur). A gauche, le mode d'adresse b. L'énonciateur délègue à une voix narratrice (N) le soin de prendre en charge le récit, plus précisément une partie du récit filmique (l'énonciateur reste toujours maître de la mise en récit de cette voix narratrice). Me sont alors adressées à la fois la figuration audiovisuelle du monde diégétique et la voix narratrice, en position de commentateur direct ou indirect. A droite, le mode d'adresse c. On notera simplement la différence par rapport à b : c'est la voix narratrice (N) qui délègue le partiteur (Pteur) dans sa fonction de commentateur musical.

La voix de l'énonciation

Une telle représentation, en même temps qu'elle permet de visualiser des processus stratégiques abstraits, produit quelques effets pervers. Je ne suis pas sûr, par exemple, qu'elle ne fasse pas apparaître l'énonciateur comme une sorte de génie caché qui, dans l'ombre, tirerait les ficelles. Si tel était le cas, cela apparenterait l'énonciation et ses manifestations dans le texte à une activité de caractère plus ou moins licite. La fonction attendue du récit (écrit ou filmique, la distinction n'est pas pertinente ici) serait de rapporter des événements et non de parler de lui en tant qu'acte d'énonciation. Toute manifestation de ce dernier aurait alors quelque chose de déviant, serait « autre », de l'ordre du surcroît, du transversal, de l'écume du texte, comme l'émanation d'une figure située en amont du discours et qui disséminerait dans le texte indices et traces de sa présence.

Or l'énonciation est constitutive du récit, non seulement parce qu'elle est ce qui en permet la venue, mais aussi parce qu'elle fait partie du récit en même temps que les événements qu'elle rapporte. C'est là un aspect qui n'a pas toujours été clairement souligné par la théorie.

Il y a même tout lieu de penser que le plaisir du lecteur ou du spectateur – pour se placer cette fois-ci du côté de la réception – se nourrit de cette constante présence de l'énonciation. En fait son attitude est ambivalente :

il attend consciemment du récit qu'il lui rapporte un monde animé de personnages et d'actions alors que ce qu'il demande peut-être c'est d'éprouver une présence, celle qui, parce qu'elle s'adresse à lui (« ça *me* parle »), lui dit qu'il existe. N'est-ce pas ce que traduit la demande de l'enfant ? Certes, pour pouvoir s'endormir, il veut entendre une histoire, mais il veut surtout éprouver la présence de la mère ; et le déroulement continu du récit est la garantie de cette présence.

Si l'on admet que l'énonciation est constitutive du récit, alors cela implique que toute narration, quel que soit le médium par lequel elle se manifeste, raconte et dans le même temps dit qu'elle raconte. Elle s'auto-désigne. C'est une propriété inhérente au discours narratif. Au besoin, pour cette auto-désignation, celui-ci peut recourir à un système spécifique, lorsqu'il existe ; c'est ce qui se passe pour le récit écrit ou oral lorsqu'il use des déictiques que la langue met à sa disposition. Avec le cinéma, qui ne possède pas de « marqueurs » propres, l'énonciation, en tant qu'acte s'auto-désignant, n'ayant pas de site précis, sera susceptible d'être partout. Sa voix se fera entendre à travers les figures les plus diverses. C'est précisément le point de vue que défend Christian Metz.

Aussi dans son ouvrage (1991) visite-t-il une « petite centaine de sites énonciatifs » regroupés « sous dix rubriques ». Son travail consiste probablement moins à construire un modèle théorique de l'énonciation ou de l'énonciateur, qu'à repérer, dans ses diverses manifestations filmiques, la façon dont la voix énonciative se fait entendre tout au long du récit. Si elle dispose de stratégies d'adresse au spectateur (ce que j'ai tenté de décrire plus haut), elle se manifeste, avec plus ou moins d'ostentation, à tous les niveaux de la narration et sous les formes les plus variées.

Ce sont d'abord les différentes formes d'adresse (« Voix d'adresse à l'image - Regards à la caméra », « Voix d'adresse hors l'image - Sons apparentés », « Adresses écrites. Cartons d'adresse », pour reprendre le sommaire de Christian Metz). Au cours des lignes précédentes, l'importance de ce mode de manifestation a été suffisamment souligné pour qu'il ne soit pas nécessaire d'y revenir. Ce sont ensuite toutes les figures de miroir (« Les écrans seconds, ou le rectangle au carré », « Miroirs ». « Montrer le dispositif », « Film(s) dans le film », toujours par référence au sommaire de l'ouvrage). A l'aide de divers effets de réflexion : cadres à l'intérieur du cadre, dédoublements que produit toute surface réfléchissante filmée, images d'un film en train de se faire, d'une projection en salle, etc., l'image filmique me rappelle qu'elle est image et non pas réalité, me rappelle aussi qu'elle est un élément d'un dispositif plus vaste destiné à produire ou à projeter des images et des sons. Ce sont encore et enfin toutes les procédures par lesquelles le regard du spectateur va être réglé, désigné ou impliqué dans la fiction («Images subjectives, Sons subjectifs, Point de vue», «Voix-Je et sons apparentés», «Le régime objectif orienté»). A certains égards on retrouve là quelques-unes des questions rencontrées notamment à propos de la monstration. Une sorte de constante mobilité du spectateur résulte de ces diverses modulations ; mobilité à la fois réglée et obligée à travers laquelle se fait entendre souvent la voix de l'énonciation.

L'importance du travail de Metz tient précisément à ceci : il nous aide à mieux écouter cette voix, si souvent secrète qu'elle se laisse oublier. Néanmoins, si je l'oublie, cela ne signifie pas pour autant qu'elle est absente. Même non marquée, même « neutre », la voix de l'énonciation est toujours présente car elle est constitutive du récit (et l'ultime rubrique de Metz, « Images et sons "neutres" », est à cet égard fort éclairant).

Secrète, discrète (le plus souvent), pratiquant tous les langages, protéiforme dans sa matérialisation comme dans ses figurations, la voix de l'énonciation, en dépit de la difficulté qu'il y a à la repérer, à la saisir, à l'entendre même, est celle-là même qui m'accompagne et que je désire sous le récit des actions et des événements. Elle a le pouvoir des Sirènes : celui de m'attirer et de me tenir sous le charme de la fiction.

Les voix venues d'ailleurs

Il est d'autres voix encore qui, si je tends bien l'oreille, sont perceptibles, plus ténues peut-être, plus lointaines aussi parce que venues d'ailleurs : celles de l'intertextualité et de la citation. Dans *L'homme qui ment*, alors qu'il vient de rejoindre Maria la servante, près de l'étendoir, Boris dit à la jeune femme qu'elle lui rappelle quelqu'un ; il cherche, hésite, semble se perdre dans ses souvenirs. Monte alors, comme porté par une voix intérieure, ce monologue : « Elle s'appelait... elle s'appelait Eva... elle faisait partie d'un réseau... ». Pour le spectateur familier des films de Robbe-Grillet, quelque chose se glisse à ce moment-là dans le texte : la réminiscence d'un autre film, *Trans-Europ-Express* dont Eva est l'héroïne et Jean-Louis Trintignant, là aussi, l'interprète principal. C'est comme la voix d'un autre film qui se fait entendre.

Lorsque Jean-Luc Godard (ainsi que d'autres réalisateurs de la Nouvelle Vague) multipliait, dès *A bout de souffle* (1959), les références au cinéma d'auteur américain, il faisait entendre une voix venue d'outre-Atlantique et pourtant familièrement proche pour le cinéphile du début des années 60. Et cette voix disait tout à la fois l'horizon esthétique de Godard et son amour-passion-nostalgie pour LE cinéma.

C'est que la voix de la citation ou de la référence à d'autres textes ne fait pas entendre seulement ce qu'elle dit dans son texte d'origine ; elle dialogue avec le film qui la convoque et l'accueille. Elle devient comme bifide en tenant deux discours. Il en va ainsi, pour prendre un exemple récent, dans *Maris et femmes* de Woody Allen (1992). Tout au long du film, mais plus particulièrement au début, la caméra tenue à la main ne cesse de bouger, de chercher maladroitement à faire entrer les personnages dans le cadre, d'aller, dans la composition de l'image, de déséquilibre en déséquilibre, bref de se comporter comme si elle était entre les mains d'un mauvais cinéaste amateur. C'est alors une sorte de texte général, comme un genre cinématographique, qui se fait entendre : le film de famille. Affleurent ainsi les connotations liées à ce genre particulier : désir de retenir les moments de bonheur, de mémoriser l'intimité du quotidien, de construire aussi une sorte de saga familiale à usage interne avec tout ce que cela comporte de besoin de reconnaissance, de commémoration et de désir d'échapper à la fuite du temps.

L'effet premier est évidemment comique : la présence d'une caméra « amateur » dans un film commercial-professionnel apparaît comme un gag signé Woody Allen (ce qui ne va pas non plus sans un certain « culot », celui qui consiste à prendre le risque de la « mauvaise » image). Mais rapportée au sujet même du film, deux couples en voie de dislocation, cette référence au film de famille prend valeur d'ironie ; cette caméra maladroite et amateur n'est pas là pour filmer le bonheur familial et le magnifier mais pour enregistrer la situation contraire. La fausse caméra amateur se met en route là où s'arrêterait une vraie caméra d'amateur. Le film de famille, cette voix venue d'ailleurs, fait donc entendre à la fois ce qu'elle dit habituellement et ce que, par sa relation avec le contexte d'accueil, elle dit singulièrement dans ce film-ci.

Car tout film, explicitement ou implicitement, tisse dans sa trame fils, lambeaux ou fragments venus d'autres textes, homogènes (lorsqu'un film fait entendre un ou d'autres films) ou hétérogènes (références picturales, littéraires, télévisuelles, graphiques, etc., au sein du cinématographique). La voix venue d'ailleurs se mêle alors à celles du film qui l'accueille, dans une activité véritablement concertante. Toujours le texte dialogue avec d'autres textes, comme Michael Bakhtine (1978), l'un des tout premiers, l'a si bien montré. Et de l'écoute de ce dialogue, inscrit au cœur du film en même temps qu'il l'ouvre sur ce qui le déborde et l'englobe, se nourrit aussi mon plaisir de spectateur.

Le récit, tout comme son corollaire : le plaisir du récit, n'est pas seulement fait d'une suite organisée d'actions et d'événements, si palpitants soient-ils ; il est aussi cette voix faite de voix multiples et concertantes qui s'adresse à moi, qui me parle et me fait entrer ainsi dans une relation d'écoute singulière avec lui. Car cette voix est, en définitive, ce que le film a de plus singulier. Ses harmoniques sont toujours uniques. Et lorsqu'un soir de décembre 1895, les frères Lumière proposèrent la première séance publique du cinématographe, ils pensaient présenter des vues animées ; mais ils ne se doutaient probablement pas qu'ils faisaient entendre les premiers murmures d'une nouvelle voix.

TEXTE

■ **Est-il illégitime de parler d'énonciation pour le cinéma, alors que cette notion est linguistique ?**

Si « narration » et « énonciation » sont deux notions opératoires pour l'analyse du discours écrit, elles sont d'un usage plus problématique pour l'examen du discours filmique. A la fin de son ouvrage, L'énonciation impersonnelle ou le site du film, *Christian Metz interroge longuement leur rapport.*

On pourrait en somme répartir en trois grandes tendances les diverses attitudes concernant le rapport entre énonciation et narration : il y a ceux qui insistent sur leur éloignement, ceux pour qui elles sont à la fois distinctes et parentes, et ceux qui – dans le double cas du cinéma, et narratif – les font « fusionner » sans vergogne : c'est là que je me place, et que se sont placés avant moi Bettetini et Casetti, avec leur « énonciateur » et leur « énonciataire » constamment invoqués à propos du récit filmique. Cette énonciation, comme on voit, est aussi narration. Mais en montrant du doigt le fait même du discours, on englobe plus de choses, et plus radicales, qu'en nommant le genre de ce discours. (Il n'est pas question, toutefois, de proscrire « narration », irremplaçable pour désigner ce genre en tant que tel.)

Le ressort profond de cette difficulté a été, me semble-t-il, fort bien mis en lumière par Jacques Aumont : la narration filmique, remarque-t-il, n'est pas confinée en un ou plusieurs *lieux* assignables du film, elle se faufile partout, dans le montage, les cadrages, le motif representé lui-même ; la narratologie étudie le récit *dans* le film, mais elle a du mal à appréhender le film entier *comme* récit. C'est bien là le grand « challenge » (pour parler moderne) que je voudrais commencer à relever, et auquel sont confrontées les études filmo-narratives. On n'en est pas quitte avec la charpente explicitement événementielle, qui correspond à une sorte de scénario, ou à un squelette, plutôt qu'au film lui-même. Quand un film est narratif, tout en lui devient narratif, même le grain de la pellicule ou le timbre des voix. Il faudrait plutôt dire : « *dans la mesure* où un film est narratif », puisqu'il existe, comme on le sait, des films partiellement narratifs, selon divers modes et à divers degrés (voir Duras, Godard, Robbe-Grillet, cent autres). Mais cela ne change pas mon problème : dans un moyen d'expression qui ne porte pas son code en lui-même, la narration, sur la part de terrain qu'elle occupe, prend en charge tous les réglages discursifs, toute l'énonciation. D'ailleurs, quand on pense aux figures que chacun considère comme énonciative, on s'aperçoit que le plus souvent elles sont aussi, et inséparablement, narratives : parleur diégétique, parleur non diégétique, voix-*off* ou voix-*in*, regard-caméra, musique motivée ou immotivée, hors-champ, etc.

L'énonciation, c'est le fait d'énoncer (je me répète, c'est l'âge). Aussi, dans un documentaire scientifique, ce qui est à l'œuvre est l'énonciation scientifique, dans un film de combat l'énonciation militante, et ainsi de suite : exemples remplaçables par d'autres si le lecteur estime qu'ils ne correspondent pas à des types spécifiques d'énonciation. Ce qui reste, c'est que pour l'énonciation narrative, dont la portée anthropologique est exceptionnelle et la diffusion sociale considérable, on dispose d'un mot spécial, « narration », dont l'homologue, non par hasard, fait défaut partout ailleurs. Nous trouvant ainsi devant deux noms, nous avons tendance à chercher deux choses, oubliant allègrement que pour tous les autres genres de discours, nous ne nous posons même pas la question. Devant un film géographique, nous n'essayons pas de distinguer de l'énonciation je ne sais quelle « géographisation ». Elle serait pourtant, en l'espèce, l'exact homologue de la narration. Mais elle n'a pas d'existence sociale. La narration, au contraire, en a beaucoup, elle s'autonomise dans notre esprit, et nous ne songeons plus qu'elle n'est rien d'autre que l'énonciation narrative.

On n'a pas intérêt à couper les liens qui unissent les films narratifs aux autres. Ce qui est commun à tous est justement le fait énonciatif.

Christian Metz, *L'énonciation impersonnelle ou le site du film*,
Méridiens Klincksieck, 1991, pp. 186-187.

Conclusion

Comme toutes les autres formes de récits (verbal, photographique, graphique, mimétique, etc.), le récit filmique pourrait se définir d'abord par sa fonction, celle qui consiste à raconter ; mais dans cette perspective il ne serait qu'une des variantes, qu'une des actualisations possibles de l'activité narrative considérée alors comme première, fondamentale et intangible. En somme il serait « récit » d'abord et « filmique » accessoirement. La singularité se diluerait dans le commun.

Cette option ne pouvait être la nôtre convaincus que nous sommes que l'intérêt et la portée esthétique d'un film s'inscrivent dans son « écriture », dans le travail du matériau langagier et expressif, plus que dans ses contenus thématiques ou dans son architecture scénaristique (ce qui ne saurait toutefois signifier que celle-ci est négligeable). En un sens, et en dépit du caractère radical et abrupt de sa position, nous nous sentirions plutôt proches de Nathalie Sarraute lorsque, interrogée sur les possibles rapports du cinéma et de la littérature, elle répond : « Quel rapport y a-t-il entre les sensations produites par une œuvre littéraire, c'est-à-dire par l'écriture, sur un lecteur sensible aux qualités propres au langage littéraire, et celles que produisent sur les spectateurs les images cinématographiques ? Pour moi, je n'en vois aucun. » (*Cinéma et roman*, 1966).

Néanmoins, si l'on souhaite analyser le film narratif de fiction dans toutes ses dimensions, on ne peut échapper à la question de la double présence du « récit » et du « filmique ». Pour autant cela n'implique pas qu'il faille dissocier ces deux composantes. Bien au contraire. L'une des motivations qui peut me conduire à aller au cinéma, c'est le désir d'une histoire. Je désire qu'on me raconte. N'est-ce pas ce à quoi répond la pratique journalistique ou publicitaire lorsque, pour m'aider à faire mon choix, elle me propose un résumé des événements ?

Cependant en choisissant d'aller au cinéma plutôt que d'ouvrir un livre, j'espère, en même temps que le plaisir de l'histoire, un plaisir lié au médium cinématographique.

Plus précisément, j'attends du récit filmique qu'il ait une saveur singulière due au médium et que je ne peux donc éprouver qu'au cinéma. C'est sur cette intime conviction que reposait la démarche suivie pour l'analyse. Elle avait pour supposé que s'il raconte, le récit filmique le fait d'une manière qui lui appartient en propre.

Il était donc nécessaire de prendre en compte, dans un premier temps, la dimension proprement narrative du film de fiction puisque, d'une part, sans elle il n'y aurait point de récit et que, d'autre part, elle fait appel à ma compétence narrative. Certes les outils d'analyse permettant d'appréhender cette question ont été, pour leur grande majorité, élaborés à partir des textes littéraires, mais dans la mesure où ils ont pour objet la narrativité (c'est-à-dire ces opérations qui, mises en jeu dans un texte, me permettent de le reconnaître comme étant un récit), ils n'appartiennent pas en propre à la littérature et sont donc aisément transférables à d'autres médiums. Il en allait ainsi de l'approche structurale ou actantielle. Il en allait de même pour ces principes fondamentaux que sont les postulats narratifs, les mondes possibles, la « vectorisation », la causalité ou l'attitude coopérative du spectateur.

Le monde diégétique, lui, s'il est propre au récit, et plus particulièrement au récit de fiction, offre déjà des particularités dues au médium. Au cinéma il est figuré, représenté, donné à voir et à entendre. Il possède une réalité sensorielle bien différente de celle que mobilise le roman. Certes ses composants majeurs : personnages, espace et temps, dans leur fonctionnement sémiotique (dans leur manière de faire sens et de structurer le texte), opèrent de façon assez largement autonome par rapport au médium, mais leur inscription dans le monde diégétique filmique leur confère des traits spécifiques : l'apport de la figure du comédien au personnage, par exemple, la structuration de l'espace à partir de mon point de vue de spectateur ou encore le traitement particulier de la durée pour ce qui concerne la temporalité.

En fait, c'est dans sa façon de « dialoguer » avec le spectateur que le récit filmique manifeste sa plus grande singularité, comme l'ont montré les deux derniers chapitres. Par les diverses stratégies qu'il mobilise pour donner à voir et à entendre, pour régler l'accès du spectateur au savoir diégétique comme pour s'adresser à lui, il manifeste sa véritable spécificité narrative. C'est là, dans une forme de présence très particulière, celle qui me fait osciller du « je vois, j'entends » au « ça me parle, on me raconte », que le film narratif fait entendre sa voix propre, dont le timbre et le grain font que je me laisse aller au charme qu'elle exerce, différent de celui des autres supports narratifs. N'est-ce pas l'émotion que suscite cette voix dont se nourrit la cinéphilie ? N'est-ce pas elle qui est à la source du plaisir propre au cinéma ? Il y a dans le langage cinématographique, dans la matérialité des sons et des images, dans leur polyphonie, un réservoir inépuisable de sensations et d'émotions capable de susciter les plus forts engouements. Il est, cependant, une autre raison qui explique la « passion » du cinéma ; elle tient aux caractéristiques mêmes du médium.

A la différence par exemple du récit écrit, le film narratif suppose, pour sa réception et sa lecture, une très forte implication du spectateur. C'est à une véritable expérience sensori-motrice que contraint la projection du film. En cela le cinéma est un art du spectacle. Sa consommation est non seulement institutionnalisée (je dois me rendre dans une salle publique, à une heure donnée, sur la foi d'un programme, comme pour tout autre spectacle), mais encore elle est réglée, d'une manière qui lui appartient en propre, par le dispositif cinématographique. Durant un temps limité, fortement concentré et sur lequel je n'ai pas de prise (celui de la séance), toutes mes facultés sont mobilisées. Physiques d'abord, par l'imposition qui m'est faite d'une diminution de l'activité motrice, sensorielles et perceptives ensuite, pour la réception des stimuli sonores et visuels. Autant de conditions qui favorisent alors le déploiement de mon imaginaire, de mon affectivité et de mon aptitude cognitive. C'est un engagement total que le cinéma exige de moi.

En ce sens on peut dire qu'il n'y a de véritable « filmique » que cinématographique. Toute condition de réception autre qu'en salle, et je pense ici naturellement à la diffusion télévisuelle, ne peut offrir qu'un simulacre de film. Du reste, l'Histoire est là qui nous le rappelle : le film existait déjà avec le kinétoscope d'Edison, mais il n'était pas encore le cinématographe puisque lui manquait la projection en salle.

Et l'on s'aperçoit alors qu'il aura fallu la conjonction de trois données : le filmique, le cinématographique et le récit, pour que le cinéma, grâce au film narratif, devienne enfin un Art véritable. Le septième, dit-on.

Glossaire *

Cadre : le cadre est à la fois ce qui délimite le support matériel (ou technologique) de l'image et ce qui délimite l'image elle-même. C'est donc un espace à deux dimensions. Le cadre, au sens technologique, répond à des normes standardisées. A l'inverse le cadre de l'image est susceptible de varier au sein d'un même film : division de l'image en deux parties égales, représentant chacune un sujet différent, par exemple.

Champ : espace représenté et visible à l'intérieur du cadre. En raison des lois optiques et des règles de la perspective, cet espace donne l'impression d'être tridimensionnel. Il sera plus ou moins profond, plus ou moins net sur la totalité de sa profondeur (le premier plan peut être flou et le fond net ou inversement, par exemple).

Contre-plongée : angle de prise de vue particulier pour lequel la caméra se trouve en contrebas par rapport à l'objet qu'elle filme.

Diégèse : on nomme diégèse le monde fictionnel fonctionnant éventuellement à l'image du monde réel. Il désigne donc un *monde*, un univers spatio-temporel, cohérent, peuplé d'objets et d'individus et possédant ses propres lois (semblables éventuellement à celles du monde de l'expérience vécue). Ce monde est pour partie donné et représenté par le film, mais aussi construit par l'activité mentale et imaginaire du spectateur.

Échelle des plans : chaque grosseur de plan correspond à une sorte d'échelle de grandeur, c'est-à-dire à un rapport de surface entre la dimension de l'image et celle du principal motif inscrit dans le cadre.
Traditionnellement on distingue :
1. le *plan général* qui montre une large fraction du cadre dans lequel se situe le décor et où les personnages sont plus ou moins noyés ;
2. le *plan d'ensemble* qui montre la totalité du décor ; la taille des personnages y est encore réduite mais des détails commencent à se préciser ;
3. le *plan de demi-ensemble*, plus serré que le précédent ;
4. le *plan moyen* qui cadre les personnages en pied ;

---

* Ce glossaire s'inspire des *200 mots-clés de la théorie du cinéma* (Jean Bessalel et André Gardies, Cerf, « 7ᵉ Art », 1992) dans lequel le lecteur trouvera d'utiles compléments.

5. le *plan américain* qui cadre les personnages à mi-cuisses ;
6. le *plan rapproché* qui montre les personnages au niveau de la taille ;
7. le *gros plan* où un visage, par exemple, occupe tout le cadre ;
8. le *très gros plan* représente seulement une partie du visage ou un détail d'objet.

Hors-champ : partie de l'espace qui n'est pas dans le champ. Cela pourra désigner (et c'est le plus souvent le cas) la partie de l'espace contigu au visible, ou un espace beaucoup plus lointain. Parfois on utilise une autre expression, le « hors-vu », pour désigner la partie de l'espace qui se trouve dans le champ mais masquée par divers objets ; par exemple, l'espace qui se trouve derrière un mur ou une rangée d'arbres.

Icone (iconique) : signe caractérisé par les traits de ressemblance qu'il entretient avec l'objet qu'il désigne. On notera que, sur la base de ce critère de ressemblance, on peut parler aussi bien de signe iconique visuel que sonore (le bruit enregistré d'un canon ressemble au bruit du canon).

Identification : d'une manière générale l'identification désigne le processus psychologique par lequel une personne assimile diverses qualités qu'elle prête à une autre personne et tente de se conformer à l'image de cette personne. La psychanalyse distingue une identification primaire et une identification secondaire. C'est cet étagement qu'a repris la théorie du cinéma. L'identification primaire à la caméra désigne le processus par lequel tout se passe pour le spectateur comme si son regard prenait, lors de la projection, la place que la caméra occupait lors du tournage (voir le texte de Jean-Louis Baudry à la fin du chapitre 1).

L'identification secondaire désigne le phénomène suivant lequel le spectateur s'assimile imaginairement aux personnages du monde diégétique.

Indice (indiciel) : les indices sont des signes qui entretiennent ou ont entretenu une relation de contiguïté physique et/ou de connexion causale avec leur référent : la fumée pour le feu, la fièvre pour la maladie, l'empreinte pour le pas, etc.

Matière de l'expression : désigne les caractéristiques physiques, sensorielles ou technico-sensorielles à quoi se reconnaissent immédiatement et peuvent donc se distinguer commodément les uns des autres les différents langages. Ainsi le cinéma se caractérise (et se distingue des autres arts et langages) par le fait que ses signes s'inscrivent dans de *l'image mouvante*, des *mentions écrites* (le générique par exemple), du *bruitage*, du *verbal*, de la *musique*.

Montage : au sens technique, le mot « montage » désigne trois étapes successives dans la réalisation d'un film :
1. la sélection des « rushes » (les diverses prises lors du tournage) ;
2. leur mise bout à bout ;
3. leur raccordement rythmique et expressif.

On notera que le montage implique non seulement l'agencement des plans mais aussi de tous les matériaux filmiques (les divers sons notamment).

Panoramique : mouvement de caméra qui consiste en ce que l'appareil pivote sur son pied sans que celui-ci se déplace (de droite à gauche et inversement, de haut en bas et inversement, en oblique éventuellement).

Plan : dans l'usage le plus courant, on appelle « plan », lors du tournage d'un film, tout ce qui est impressionné sur la pellicule entre la mise en marche et l'arrêt de l'appareil de prise de vues. Toutefois, ce qui apparaît dans le film réalisé, ce ne sont pas les plans filmés, mais les plans montés. Ceux-ci, en principe, sont toujours différents de ceux-là. Doivent être éliminés, en effet, lors du montage, les divers « appendices techniques » (tels que les « claps »), et les éléments jugés inutiles. Mais le mot « plan » offre une grande variété de sens. Il désigne, par exemple, le type de mise en cadre du sujet ; on parlera alors de « gros plan », « plan moyen », etc. (voir Échelle des plans) ; ou encore la position respective des objets dans la profondeur de champ, on parlera ainsi de « premier plan », « second plan », « arrière-plan », etc. Dans la perspective du langage cinématographique, il pourra être considéré comme une unité du discours filmique.

Plan-séquence : type de construction cinématographique consistant à traiter en un seul plan l'ensemble d'une scène ou d'une séquence.

Plongée : angle de prise de vue particulier pour lequel la caméra est placée au-dessus de l'objet qu'elle filme.

Profilmique : au sens large, on qualifie de « profilmique » tout ce qui a été placé devant la caméra (ou tout ce devant quoi on l'a placée) pour qu'elle l'enregistre.

Séquence : moment d'un film constituant une unité narrative, composé du regroupement de plusieurs plans. On parlera, par exemple, de la séquence de la poursuite, de la rencontre, du duel, de la fuite, de l'arrivée, des retrouvailles, etc. En sémiologie on distingue plusieurs types de séquences, nommées alors syntagmes.

Son *in* / son *off* : on dit qu'il est *in* lorsque la source sonore est visible dans le champ et *off* lorsque la source est hors-champ.

Travelling : mouvement de caméra qui consiste en ce que celle-ci se déplace en même temps qu'elle enregistre. Elle peut être placée sur n'importe quel support mobile : une grue, un chariot, une voiture, tenue à l'épaule par le caméraman en train de marcher, etc.

On distingue les travellings avant, arrière, vertical, latéral. On notera qu'il est tout à fait possible de conjuguer le panoramique et le travelling.

Liste des films cités

LM = long métrage ; CM = court métrage ; N et B = noir et blanc ; C = couleur

A bout de souffle (LM, N et B), Jean-Luc Godard, 1959.
Ailes du désir (Les) (LM, N et B et C), Wim Wenders, 1987.
Amants du Capricorne (Les) (LM, C), Alfred Hitchcock, 1949.
Amour de Swann (Un) (LM, C), Volker Schlöndorff, 1984.
Ange bleu (L') (LM, N et B), Joseph Von Sternberg, 1929-1930.
Arrivée d'un train en gare de La Ciotat (L') (CM, N et B), Lumière, 1895.
Aventuriers de l'arche perdue (Les) (LM, C), Steven Spielberg, 1981.
Bébé mange sa soupe (CM, N et B), Lumière, 1895.
Bête humaine (La) (LM, N et B), Jean Renoir, 1938.
Casque d'or (LM, N et B), Jacques Becker, 1952.
Celles qu'on n'a pas eues (LM, C), Pascal Thomas, 1980.
Cléo de 5 à 7 (LM, N et B et C), Agnès Varda, 1962.
Comtesse aux pieds nus (La) (LM, C), Joseph Mankiewicz, 1954.
Dame du Lac (La) (LM, N et B), Robert Montgomery, 1947.
Dame de Shangaï (La) (LM, N et B), Orson Welles, 1946.
Derniers jours de Pompéi (Les) (LM, C), Mario Bonnard, 1959.
Facteur sonne toujours deux fois (Le) (LM, N et B), Tay Garnett, 1946.
Faucon maltais (Le) (LM, N et B), John Huston, 1941.
Fenêtre sur cour (LM, C), Alfred Hitchcock, 1954.
Grève (La) (LM, N et B), S. M. Eiseinstein, 1924.
Guerre des étoiles (La) (LM, C), Georges Lucas, 1977.
Guerre est finie (La) (LM, N et B), Alain Resnais, 1966.
Homme qui ment (L') (LM, N et B), Alain Robbe-Grillet, 1968.
Huit et demi (LM, N et B), Fédérico Fellini, 1963.
Idi Amin Dada (LM, C), Barbet Schroeder, 1974.
Il était une fois dans l'Ouest (LM, C), Sergio Leone, 1969.
Immortelle (L') (LM, N et B), Alain Robbe-Grillet, 1963.
Jetée (La) (CM, N et B), Chris Marker, 1963.
Jour le plus long (Le) (LM, N et B), Darryl Zanuk, Kenn Annakin, Andrew Marton et Gerd Oswald, 1963.
Journal d'un curé de campagne (Le) (LM, N et B), Robert Bresson, 1951.
Jules et Jim (LM, N et B), François Truffaut, 1962.
M le maudit (LM, N et B), Fritz Lang, 1931.
Madame Bovary (LM, C), Claude Chabrol, 1992.
Maison idéale (La) (CM, N et B), Robert Emhardt, 1958.
Manhattan (LM, N et B), Woody Allen, 1979.
Maris et femmes (LM, C), Woody Allen, 1992.

Moderato cantabile (LM, N et B), Peter Brook, 1960.
Moulin Rouge (LM, C), John Huston, 1953.
Nuit de San Lorenzo (La) (LM, C), Paolo et Vittorio Taviani, 1981.
Orgueilleux (Les) (LM, N et B), Yves Allégret, 1953.
Pierrot le fou (LM, C), Jean-Luc Godard, 1965.
Pont de la rivière Kwaï (Le) (LM, C), David Lean, 1957.
Rashômon (LM, N et B), Akiri Kurosawa, 1950.
Rio Bravo (LM, C), Howard Hawks, 1959.
Rivière du hibou (La) (CM, N et B), Robert Enrico, 1961.
Salaire de la peur (Le) (LM, N et B), Georges-Henri Clouzot, 1953.
Shining (LM, C), Stanley Kubrick, 1980.
Son nom de Venise dans Calcultta désert (LM, C), Marguerite Duras, 1976.
Train sifflera trois fois (Le) (LM, N et B), Fred Zinneman, 1952.
Trans-Europ-Express (LM, N et B), Alain Robbe-Grillet, 1966.
Vacances de M. Hulot (Les) (LM, N et B), Jacques Tati, 1953.
Veuve Couderc (La) (LM, C), Pierre Granier-Deferre, 1971.
Victor Victoria (LM, C), Blake Edwards, 1982.
Viridiana (LM, N et B), Luis Buñuel, 1961.
Wavenlength (CM), Michaël Snow, 1967.
West side story (LM, C), Robert Wise, 1961.
1492, Christophe Colomb (LM, C), Ridley Scott, 1992.

Index des films

Bibliographie sélective

Cette bibliographie ne propose qu'un choix d'ouvrages susceptibles de prolonger ou compléter directement les questions rencontrées au cours des pages précédentes.

■ *Ouvrages généraux*

BARTHES (R.), BOOTH (W.C.), HAMON (P.), KAYSER (W.), *Poétique du récit,* Paris, Seuil, « Points », 1977.

BESSALEL (J.), GARDIES (A.), *200 mots-clés de la théorie du cinéma,* Paris, Cerf, « 7ᵉ Art », 1992.

CHION (Michel), *L'audio-vision,* Paris, Nathan, 1990.

CLERC (Jeanne-Marie), *Écrivains et cinéma,* tomes 1 et 2, Metz, Presses Universitaires de Metz, 1985.

GARDIES (André), *L'espace au cinéma,* Paris, Méridiens Klincksieck, 1993.

GAUDREAULT (André), *Du littéraire au filmique. Système du récit,* Paris, Méridiens Klincksieck, 1988.

GAUDREAULT (A.), JOST (F.), *Le récit cinématographique,* Paris, Nathan, 1990.

LOTMAN (Iouri), *Esthétique et sémiotique du cinéma,* Paris, Éditions sociales, 1977.

METZ (Christian), *L'énonciation impersonnelle ou le site du film,* Paris, Méridiens Klincksieck, 1991.

ODIN (Roger), *Cinéma et production de sens,* Paris, Armand Colin, 1990.

ROPARS-WUILLEUMIER (Marie-Claire), *De la littérature au cinéma,* Paris, Armand Colin, 1970.

VANOYE (Francis), *Récit écrit - récit filmique,* Paris, Nathan, 1989.

■ *Pour approfondir*

BAKHTINE (Mikhaïl), *Esthétique et théorie du roman,* Paris, Gallimard, 1978.

BARTHES (Roland), « En sortant du cinéma », *Communications,* n° 23, 1975.

BARTHES (Roland), « Introduction à l'analyse structurale des récits », in : *Poétique du récit,* Paris, Seuil, « Points », 1976.

BARTHES (Roland), *S/Z,* Paris, Seuil, « Points », 1976.

BAUDRY (Jean-Louis), *L'effet cinéma,* Paris, Albatros, 1978.

BAZIN (André), *Qu'est-ce que le cinéma ?* édition définitive, Paris, Cerf, 1981.

BELLOI (Livio), « Poétique du Hors-champ », *Revue belge du cinéma,* n° 31, Bruxelles, 1992.

BRÉMOND (Claude), *Logique du récit,* Paris, Seuil, 1973.

BURCH (Noël), *La lucarne de l'infini, naissance du langage cinématographique,* Paris, Nathan, « fac cinéma », 1991.

CASETTI (Francesco), *D'un regard l'autre, le film et son spectateur,* Lyon, Presses Universitaires de Lyon, 1990.

CHATEAU (Dominique), « Texte et discours dans le film », *Revue d'Esthétique,* « Voir, entendre », 1976/4, Paris, U.G.E. 10/18.

CHION (Michel), *Le son au cinéma,* Paris, Cahiers du cinéma/Étoile, 1985.

CHION (Michel), *La voix au cinéma,* Paris, Cahiers du cinéma/Étoile, 1982.

CIEUTAT (Michel), *Pierrot le fou,* Lyon, L'interdisciplinaire, 1993.

COLIN (Michel), « Éléments d'approche cognitive du point de vue au cinéma », *Protée,* vol. 16, n°s 1-2, Chicoutimi, 1988.

DE FRANCE (Claudine), *Cinéma et anthropologie,* Paris, Maison des Sciences de l'Homme, 1980.

ECO (Umberto), *Lector in fabula,* Paris, Bernard Grasset, 1985.

ECO (Umberto), *La production des signes,* Paris, Le livre de poche, 1992.

EISENSTEIN (Serguëi Mikhaïlovitch), *Le film : sa forme/son sens,* Paris, Christian Bourgois, 1976.

GARDIES (André), « Fonctionnalité du verbal dans le récit filmique, esquisse pour une typologie », in : *Le verbal et ses rapports avec le non verbal dans la culture contemporaine,* Montpellier, ISAV, 1989.

GARDIES (André), « L'acteur dans le système textuel du film », *Études littéraires,* volume 13, n° 1, Québec, Presses de l'Université Laval, 1980.

GAUDREAULT (André), *Du littéraire au filmique, Système du récit,* Paris, Méridiens Klincksieck, 1988.

GAUDREAULT (André), « Les aventures d'un concept : la narrativité », in : *Christian Metz et la théorie du cinéma, Iris,* n° 10 spécial/avril 1990, co-édition, Méridiens Klincksieck.

GAUDREAULT (André), « *Narrator* et narrataire », *Iris,* n° 7, Paris, 1986.

GENETTE (Gérard), *Figures III,* Paris, Seuil, 1972.

GENETTE (Gérard), *Mimologiques,* Paris, Seuil, 1981.

GENETTE (Gérard), *Nouveau discours du récit,* Paris, Seuil, 1983.

GREIMAS (Algirda-Julien), *Du sens,* Paris, Seuil, 1970.

HAMON (Philippe), « Pour un statut sémiologique du personnage », in : *Poétique du récit,* Paris, Seuil, « Points », 1976.

JEAN (Marcel), *Pensées, passions et proses,* Montréal, L'Hexagone, 1992.

JOST (François), *L'œil-caméra. Entre film et roman,* Lyon, Presses Universitaires de Lyon, 1987.

LAFFAY (Albert), *Logique du cinéma - Création et spectacle,* Paris, Masson, 1964.

LAGNY (Michèle), *De l'Histoire au cinéma, Méthode historique et histoire du cinéma,* Paris, Armand Colin, 1992.

METZ (Christian), *Essais sur la signification au cinéma,* Paris, Klincksieck, t. I, 1967, t. 2, 1969.

METZ (Christian), *Langage et cinéma,* Paris, Larousse, 1971.

METZ (Christian), *Le signifiant imaginaire,* Paris, U.G.E. 10/18, 1977.

MORIN (Edgar), *Le cinéma ou l'homme imaginaire,* Paris, Minuit, 1956.

MORIN (Edgar), *Les stars,* Paris, Seuil, « Points », 1972.

ODIN (Roger), « Le film de fiction menacé par la photographie et sauvé par la bande-son », in : *Cinémas de la modernité : films, théories,* Paris, Klincksieck, 1981.

ODIN (Roger), « Du spectateur fictionnalisant au nouveau spectateur approche sémiopragmatique », *Iris,* n° 8, Paris, 1988.

PEIRCE (Charles S.), *Écrits sur le signe,* rassemblés, traduits et commentés par Gérard Deledalle, Paris, Seuil, 1978.

POUILLON (Jean), *Temps et roman,* Paris, Gallimard, 1946.

PROPP (Vladimir), *Morphologie du conte,* Paris, Seuil, « Points », 1973.

RICŒUR (Paul), *Temps et récit,* Paris, Seuil, « Points », t. 1, 2, 3, 1991.

ROHMER (Eric), *L'organisation de l'espace dans le « Faust » de Murnau,* Paris, U.G.E. 10/18, 1977.

SARRAUTE (Nathalie), « Film et roman, problèmes du récit », *Cahiers du cinéma,* n° 185, 1966.

SOURIAU (Étienne, sous la direction de), *L'univers filmique,* Paris, Flammarion, 1953.

TODOROV (Tzvetan), « Les catégories du récit littéraire », *Communications,* n° 8, Paris, Seuil, 1966.

Table

150

Table 151

Table des textes

Collection « Contours littéraires »
dirigée par Bruno Vercier, maître de conférences
à l'Université de la Sorbonne Nouvelle

- Joël MALRIEU, *Le fantastique*
- Pierre-Louis REY, *Le roman*
- Dominique COMBE, *Les genres littéraires*
- Alain MONTANDON, *Les formes brèves*

Imprimé en France par I.M.E. - 25110 Baume-les-Dames
Dépôt légal n° : 4009-05/1993
Collection n° 81 - Edition n° 01
14/4754/9